CWRS MYNEDIAD

Cwrs dechreuol i oedolion sy'n dysgu Cymraeg

CANLLAWIAU I DIWTORIAID

Cyhoeddwyd gan CBAC.

Cyd-bwyllgor Addysg Cymru
Yr Uned Iaith Genedlaethol
CBAC
245 Rhodfa'r Gorllewin
CAERDYDD
CF5 2YX

Argraffwyd gan Wasg Gomer.
Argraffiad cyntaf: 2005
Ail argraffiad: 2007
ISBN 978 1 86085 618 1

Cyhoeddwyd drwy gymorth ariannol ELWa.

CYDNABYDDIAETH

Awdur:	Elin Meek
Golygydd:	Glenys Mair Roberts
Dylunydd:	Mostyn Davies
	(dyluniwyd y clawr gan Olwen Fowler)
Rheolwr y Project:	Emyr Davies

Lluniwyd y darluniau gan Huw Vaughan Jones.

Mae'r cyhoeddwyr yn ddiolchgar i Fwrdd Croeso Cymru am ganiatâd i ddefnyddio'r ffotograff ar y clawr blaen.

Nodyn

Mae hwn yn gwrs newydd sbon, felly croesewir sylwadau gan ddefnyddwyr, yn diwtoriaid ac yn ddysgwyr. Anfonwch eich sylwadau drwy e-bost at: lowri.morgan@cbac.co.uk, neu drwy'r post at:
Lowri Morgan, Yr Uned Iaith Genedlaethol, CBAC, 245 Rhodfa'r Gorllewin, CAERDYDD, CF5 2YX.

CYFLWYNIAD CYFFREDINOL

Mae *Cwrs Mynediad* yn gwrs newydd i oedolion sy'n dysgu Cymraeg. Cwrs i'w ddefnyddio mewn dosbarth dan arweiniad tiwtor yw hwn, ac mae'r llyfr hwn yn cynnig canllawiau i'r tiwtor sy'n defnyddio'r llyfr cwrs yn y dosbarth. Mae'r cwrs yn arwain at arholiad CBAC, *Defnyddio'r Gymraeg: Mynediad*. Does dim *rhaid* sefyll yr arholiad ar y diwedd i gael budd a mwynhad o ddefnyddio'r cwrs hwn. Cyhoeddir cwrs dilynol, sef *Cwrs Sylfaen* yn fuan (cysylltwch â CBAC am ragor o fanylion).

I'r tiwtor dibrofiad, awgrymir mynd i wylio tiwtor profiadol yn dysgu a mynd ar gwrs hyfforddi cyn mynd ati i ddysgu eich hun. Dylid cysylltu â'ch tiwtor-drefnydd lleol i gael gwybodaeth am gyfleoedd i wneud hyn. (Cysylltwch â CBAC i gael enw a chyfeiriad eich tiwtor-drefnydd lleol chi). Nid diben y cyflwyniad hwn yw dweud sut mae dysgu na sut mae bod yn diwtor da, ond dylai tiwtoriaid hen a newydd gadw rhai pethau mewn cof wrth ddysgu:

- Ceisiwch fod mor frwdfrydig a hwyliog ag y bo modd ynglŷn â phob dim.
- Manteisiwch ar bob cyfle i sgwrsio'n rhydd â'r dysgwyr yn Gymraeg, wrth iddynt gyrraedd, rhwng gweithgareddau, yn ystod amser coffi neu ar ôl y wers.
- Mae'n bwysig sefydlu'r patrwm mewn dril, ond rhaid rhoi'r patrwm ar waith mewn gweithgaredd neu dasg hefyd.
- Defnyddiwch lai a llai o Saesneg wrth i'r cwrs fynd yn ei flaen, ac annog y dysgwyr i ddefnyddio'r Gymraeg yn y dosbarth, e.e. drwy ofyn 'Beth yw/ydy ... yn Gymraeg?'
- O ran trefniadaeth dosbarth, hanner cylch o gadeiriau sydd orau, er mwyn galluogi pobl i symud a chyfnewid partner yn hawdd.
- Yn ystod y cwrs, mae'n syniad da gwahodd siaradwyr Cymraeg i'r dosbarth am gyfnodau byrion (e.e. yn y sesiwn adolygu), i ateb cwestiynau y mae'r dysgwyr wedi eu hymarfer yn y dosbarth.

Bwriad y cwrs yw cael dysgwyr i siarad Cymraeg a deall Cymraeg llafar yn bennaf, er bod rhywfaint o sylw yn yr arholiad *Defnyddio'r Gymraeg: Mynediad* i ddarllen ac ysgrifennu. Felly, ffurfiau Cymraeg llafar a gyflwynir yn y cwrs hwn ac mae'n bosib y bydd tiwtoriaid profiadol yn sylwi ar ambell ffurf sy'n wahanol i'r rhai a gyflwynir mewn cyrsiau eraill. Y canllaw cyffredinol yw bod y tiwtor yn ynganu'n naturiol er mwyn i'r dysgwyr ei efelychu a deall pobl y tu allan i'r dosbarth. Er enghraifft, dylid ynganu'r terfyniad lluosog fel -e yn y De (pethe) ac fel -a yn y Gogledd (petha) er mai 'pethau' a welir yn y llyfr cwrs. Un fersiwn o'r canllawiau sydd ar gael, felly gwelwch chi ffurfiau'r De a'r Gogledd wedi eu gwahanu â blaen-slaes - /. Os oes pethau i'w llungopïo yn cynnwys geiriau, mae dau fersiwn ar gael.

Mae'r *Cwrs Mynediad* wedi ei rannu'n 30 uned, gydag unedau adolygu bob pum uned: hynny yw, Uned 5, 10, 15, 20, 25 a 30. Mae CDs/casetiau yn cyd-fynd â'r llyfr cwrs i'r dysgwyr adolygu gartref. Gyda'r llyfr hwn, mae CD/casét yn cynnwys tasgau gwrando, sydd i'w cael ym mhob uned adolygu. Erbyn diwedd y cwrs dylai'r dysgwyr fod wedi cyrraedd safon *Defnyddio'r Gymraeg: Mynediad* CBAC, a cheir enghreifftiau o'r math o gwestiynau a geir yn yr arholiad yn unedau adolygu 25 a 30. Gellir cael cyn-bapurau drwy gysylltu â CBAC.

Awgrymiadau yn unig sydd yma ar sut i gyflwyno'r cwrs. Mae'n siŵr y bydd y tiwtor profiadol yn dewis torri ei gŵys ei hun. Mae digon o waith ym mhob uned i lenwi o leiaf ddwy awr. Wrth gwrs, bydd dosbarthiadau'n amrywio o ran eu cefndir a'u gallu, felly mae'n bosib y bydd ambell uned yn cymryd mwy o amser na hynny.

Mae pob uned fwy neu lai'n dilyn yr un patrwm:

(i) Patrymau i'w cyflwyno (mewn blychau)
(ii) Gweithgareddau i gadarnhau'r patrymau hynny
(iii) Deialog i'w chyflwyno ym mhob uned
(iv) Nodyn ar ramadeg
(v) Geirfa'r uned

(i) **Patrymau i'w cyflwyno**
Dyma'r cyfle i gyflwyno iaith newydd. Mae'r patrymau i'w cyflwyno mewn blychau lliw melyn. Ar ôl cyflwyno nod y sesiwn bob tro fel y mae ar frig yr uned, bydd patrymau newydd i'w cyflwyno, gyda gweithgareddau i'w cadarnhau. **Ni ddylai'r dysgwyr fod â'u llyfrau ar agor yn darllen y brawddegau wrth i hyn ddigwydd.** Dyma'r camau i gyflwyno'r patrymau newydd, yn fras:

1) Esbonio'r ystyr yn Saesneg, yna adrodd y frawddeg, ac annog y dysgwyr i gyd i'ch dynwared mewn corws dair neu bedair gwaith.
2) Dysgwyr unigol yn dynwared, a'r tiwtor yn cywiro drwy ailadrodd y frawddeg.
3) Disodli un elfen o'r frawddeg, a defnyddio honno fel sbardun i unigolion gynhyrchu brawddeg newydd, e.e.
   Tiwtor: Mi es i i'r gwaith
   Dysgwr 1: Mi es i i'r gwaith
   Tiwtor: i'r dafarn
   Dysgwr 2: Mi es i i'r dafarn
4) Rhannu'n barau er mwyn ymarfer y brawddegau.

Mae'n bwysig gwneud hyn yn gyflym ac yn fywiog heb dynnu sylw at gamgymeriadau neu gamynganu dysgwyr unigol. Gellir addasu'r patrymau sydd yn y cwrs hefyd i ymarfer patrymau sy'n berthnasol i ddysgwyr penodol, e.e. Mi es i i weld Mair / Mi es i i'r dosbarth jiwdo.

(ii) **Gweithgareddau i gadarnhau'r patrymau hynny**
Mae llond trol o weithgareddau a thasgau cyfathrebol yn y llyfr cwrs ei hun ac yn y canllawiau hyn i'r tiwtor roi'r patrymau a ddysgwyd ar waith. Dylid *dethol* o'r rhain, yn hytrach na defnyddio'r cyfan. Mae'r gweithgareddau'n amrywio'n fawr - holiaduron, gwaith pâr, gwaith grŵp, gêmau ac yn y blaen, ac weithiau bydd taflenni neu gardiau fflach yn y canllawiau i'w llungopïo cyn y wers.

(iii) **Deialog**
Gan fod y ddeialog yn dod ar ddiwedd yr uned, gall fod yr amser yn brin, ond mae'n werth cyflwyno'r ddeialog. Mae'n gyfle arall i roi'r patrymau a ddysgwyd ar waith. Dyma'r camau y gellir eu dilyn:

1) Y tiwtor yn darllen y ddeialog i gyd a'r dysgwyr yn gwrando.
2) Y dysgwyr yn ailadrodd fesul llinell.
3) Y tiwtor yn mynd dros yr ystyr, yn cyfieithu ar lafar a'r dysgwyr yn rhoi'r fersiwn Cymraeg.
4) Ymarfer y ddeialog mewn parau, gan gyfnewid rôl a phartner ar ôl ychydig.
5) Disodli'r elfennau sydd wedi eu tanlinellu.
6) Ceisio cofio'r ddeialog, os yn bosibl!

(iv) **Gramadeg**

Mae adran ar ramadeg ar ddiwedd pob uned. Does dim rhaid tynnu sylw at hyn yn y dosbarth, gan fod llawer o bobl yn ansicr wrth drafod gramadeg. Gellir tynnu sylw at rai pwyntiau wrth fynd ymlaen, **ond ni ddylid treulio amser yn y dosbarth yn trafod gramadeg**.

Ar ddiwedd pob uned adolygu, ceir:

(v) **Rhestri cyfair**

Ceir rhestr gyfair yn crynhoi'r hyn y dylai'r dysgwyr bellach fod yn ei wybod ar ddiwedd pob 5 uned. Gellir mynd drwyddi yn gyflym gyda'r dosbarth ar ddiwedd yr uned adolygu gan ofyn iddynt am enghreifftiau o frawddegau sy'n ateb pob nod.

(vi) **Crynodeb o batrymau / Geirfa Graidd**

Mae'r patrymau a gyflwynwyd wedi eu casglu fesul pum uned hefyd ar gyfer y rhai sy'n ymddiddori mewn patrymau gramadegol. Nid oes angen tynnu sylw atynt yn y dosbarth, ac yn sicr, ni ddylid eu darllen fel côr! Rhywbeth i'r unigolion sy'n hoffi gweld rhestri patrymau yw'r rhain yn unig. Hefyd, mae rhestr eirfa ar ddiwedd pob uned. Does dim angen i'r dysgwyr ddysgu pob un o'r geiriau hyn; maen nhw yno er mwyn iddyn nhw allu cyflawni'r tasgau sydd yn yr uned. Mae'r rhestr ar ddiwedd pob pum uned yn cynnwys y geiriau mwyaf defnyddiol o'r unedau blaenorol. Gall y tiwtor baratoi set o gardiau yn cynnwys geirfa/ymadroddion mwyaf defnyddiol y cwrs (a rhai a gododd yn y dobarth) arnyn nhw (y Gymraeg ar y naill ochr a'r Saesneg ar y llall) fel bod modd rhoi'r rhain i unrhyw bâr grŵp sy'n gorffen yn gynnar neu eu defnyddio ar ddiwedd gwers. Bydd geirfa achlysurol yn codi yn ystod y gwersi, ac mae blychau yn y llyfr cwrs ei hun i'r dysgwyr nodi'r geiriau newydd hynny.

Ar ddiwedd y llyfr cwrs, ceir:

(vii) **Atodiad y Gweithle**

Mae hwn ar gyfer dysgwyr sy'n dysgu yn y gweithle. Rhaid i'r tiwtor ddethol o'r atodiad a throi ato wrth ddefnyddio'r cwrs craidd (mae'r rhifau'n cyfateb i rifau'r unedau perthnasol yn y cwrs craidd). Mae'n bwysig fod yr eirfa sy'n cael ei chyflwyno'n berthnasol i anghenion y grŵp neu unigolion o fewn y grŵp.

(viii) **Atodiad i Rieni**

Ar ddiwedd y llyfr cwrs mae atodiad i rieni sydd â phlant dan 5 oed. Os oes grŵp neu unigolion o fewn grŵp yn rhieni, gall y tiwtor ddethol o'r gweithgareddau hyn (eto, mae'r rhifau'n cyfateb i rifau'r unedau perthnasol yn y cwrs craidd) a'u defnyddio wrth i'r cwrs fynd yn ei flaen. Ceir cyfarwyddiadau i'r tiwtor fodelu'r gweithgaredd neu'r gêm yn y dosbarth, a chanllaw i'r rhieni ar sut i ddefnyddio'r gweithgaredd neu'r gêm honno gartref gyda'u plant.

Yn ogystal â'r llyfr cwrs, mae:

(ix) **Pecyn Ymarfer**

Mae gwaith cartref yn y Pecyn Ymarfer i gyd-fynd â phob uned yn y llyfr cwrs, ar wahân i'r uned gyntaf ar Ynganu. Bydd y gwaith cartref yn adolygu a chadarnhau'r gwaith a wneir yn y dosbarth. Gellir neilltuo ychydig o amser ym mhob gwers i fynd dros yr atebion - ond ni ddylid treulio mwy na phum munud yn gwneud hyn! Os oes toriad, neu os bydd y dysgwyr yn gweithio ar y dasg yn annibynnol, gellir casglu'r taflenni o'r Pecyn Ymarfer a'u marcio'n gyflym. Fel arfer, bydd nifer o'r dysgwyr wedi 'anghofio' gwneud y gwaith cartref, ac mae'n bwysig peidio â diflasu'r rhain drwy dreulio llawer o amser yn gwirio'r gwaith cartref. Does dim angen rhoi marc na gradd ychwaith - rhywbeth i'r dysgwyr yw'r ymarferion hyn, ac nid yw cael y cyfan yn iawn yn bwysig o gwbl.

Cynllun Achredu Rhwydwaith y Coleg Agored

Mae'r gweithgareddau a gyflwynir yn y *Cwrs Mynediad* yn addas i'w defnyddio fel tasgau enghreifftiol ar gyfer unedau lefel 1 Cynllun Achredu Rhwydwaith y Coleg Agored. Nodir enghreifftiau o'r rhain yn y canllawiau i'r unedau perthnasol.

Nodyn gan yr awdur

Mae mwynhau'n rhan bwysig o'r cwrs, a dylid ceisio gwneud pob sesiwn yn hwyl. Mae awgrymiadau yn y canllawiau ar sut i wneud hynny, ond y tiwtor yw'r person allweddol yn y cyswllt hwn. Felly mwynhewch, a bydd y dosbarth yn mwynhau gyda chi.

Bydd yn amlwg i ddyn ac anifail nad oes llawer o wreiddioldeb yn y gwaith mewn gwirionedd a'm bod i wedi bod yn benthyg ac addasu syniadau a deunydd o amryw o storfeydd, yn bennaf *Cwrs Wlpan y De-Orllewin* (Emyr Davies), *Cwrs Wlpan y Gogledd* (Elwyn Hughes) a *Dosbarth Nos 1-20* (Helen Prosser a Nia Parry). Diolch am ganiatáu i mi wneud hynny.

Elin Meek

Nod: Ynganu

Trefn yr Uned

1.1 Cyflwyno'r wyddor
1.2 Ymarfer llafariaid
1.3 Adolygu ynganu rhai cytseiniaid a llafariaid
1.4 Cyflwyno'r deuseiniaid
1.5 Ymarfer y deuseiniaid
1.6 Geiriau hir
1.7 Enwau lleoedd
1.8 Enwau pobl
1.9 Prawf arwyddion
1.10 Y Prawf Terfynol

Adnoddau i'w paratoi

- Rhai enghreifftiau o'r gwahanol seiniau ar gardiau fflach
- Enwau pobl ar gardiau fflach - neu ar y bwrdd du os yw amser paratoi'n brin

Mae'n anodd iawn pennu amser ar gyfer y gwahanol weithgareddau. Mewn rhai dosbarthiadau, yn enwedig lle mae 'dysgwyr ffug' neu ardaloedd lle mae pobl â chefndir Cymraeg, bydd modd carlamu drwy'r gweithgareddau hyn. Eto mewn dosbarthiadau eraill, yn enwedig lle nad oes cefndir, bydd yn rhaid sicrhau bod yr ynganu'n ddealladwy cyn symud ymlaen at yr unedau nesaf. Cam gwag yw osgoi'r cam hwn mewn dosbarthiadau o'r fath.

Cofiwch fod dogn o hiwmor a brwdfrydedd yn help - bydd rhai dysgwyr yn nerfus iawn ac mae ynganu iaith gwbl ddieithr yn y wers gyntaf yn mynd i fod yn dipyn o her i rai. Canmolwch bawb yn hael - neu fyddan nhw ddim yn ôl i'r wers nesaf!

Manylion y gweithgareddau

1.1 Cyflwyno'r wyddor

1. Cyflwyno'r wyddor - mynd drwy bob llythyren fesul un a phawb i ddilyn y tiwtor wrth ddweud y gair bob tro. Cael y dosbarth i ymateb mewn corws am dipyn - bydd yn rhaid i rai pobl fagu llawer o hyder cyn ynganu o flaen y dosbarth.
2. Mae'r tips ynganu yno i atgoffa'r dysgwyr pan fyddan nhw gartre'n fwy na dim.

1.2 Ymarfer llafariaid (E.H.)

Ymarfer bach sydyn i atgyfnerthu'r llafariaid. Os yw pawb i'w weld yn ymdopi, gellir gofyn i ambell aelod ddweud y rhestr ar ei ben / phen ei hun.

1.3 Adolygu ynganu rhai cytseiniaid a llafariaid

Dyma restr lawnach o enghreifftiau – gallech eu rhoi ar y bwrdd du neu baratoi cardiau fflach:

c
cen
car
cyn
cell

ch
chi
cwch
bachgen

dd
hedd
medd
hardd
gardd

ng
llong
sang
yng
mwng
cyngor
lleng

ll
llew
llon
lli
allwedd
hallt
gwallt
Llanelli

r
sur
côr
môr
Bryn Terfel
cyngor
cerdded
stormus
car
arfer

rh
rhew
rhaw
rhad

u
un
uno
unig
llun
ufudd
rhuo
cudd

th
thema
thermomedr
saboth
nerth
serth
arth

w
swp
gwn
crwn
ffrwd
llwch
tawelwch
gwddf

y (hir)
dyn
cryf
tŷ
sych
pys
llys
dydd
pryd
hyd
byd
rhyd

y (byr)
hyn
hyll
byr
llyn
myn
bryn
melys
iechyd
modryb
asyn

y (fel yn ***u**p*)
dynion
tyfu
symud
pysgod
yma
dysgu
cymylog
yn
dy
fy
y
yr

1. Gweithio drwy'r rhestr - pawb gyda'i gilydd o hyd ar ôl y tiwtor bob tro.
2. Mae'n bwysig mynd dros ben llestri ar y dechrau gyda'r ynganu - e.e. rowlio pob **r** yn ffyrnig ac ymosod ar bob cytsain!
3. Ar ôl i'r tiwtor gyflwyno'r ymarfer dwy sain, gall parau fynd yn ôl dros yr adran i gyd i adolygu.
4. Dyma gyfle da i fynd o gwmpas i roi sylw unigol.

1.4 Cyflwyno'r deuseiniaid

Dyma restr lawnach o enghreifftiau:

- **ai**, **ae**, ac **au** fel yn y Saesneg *aisle*

craidd
craig
caiff
nai
main
aur
aeth
traed
gwaedd

- **aw** fel yn y Saesneg *cow*

awr
nawr
cawr
cawl
rhawg
tawdd

- **eu**, **ei** ac **ey** fel yn y Saesneg *say*

ei
meillion
dreigiau
creigiau
eu
euraid
ceulo
teyrn
lleyg
porfeydd
Gwrtheyrn

- **oe**, **oi** ac **ou** fel yn y Saesneg *boy*

oed
hoe
doeth
coeth
bloedd
rhoi
troir
rhois
cloid
cyffrous
ymrous

- **ow** fel yn y Saesneg *own*

brown
sownd
rhown
owns
rhowch
trowch

- **wy** fel yn y Saesneg Americanaidd *hooey*

wy
bwyd
hwy
hwyr
hwylio
rhwydd
trwyn

1. Gweithio drwy'r rhain eto - gellid rhannu'r dosbarth yn ddau a chael un hanner i ymateb ar y tro er mwyn amrywio'r drilio.
2. Eto, mae'n bwysig gorwneud, yn enwedig deuseiniaid fel 'aw', 'ow'.

1.5 Ymarfer y deuseiniaid

1. Mae'r rhain (ar y cyfan) yn eiriau y byddwch wedi'u cyflwyno eisoes, felly gall parau fwrw ati eu hunain gan ddilyn y cyfarwyddiadau yn y llyfr cwrs.
2. Gellir dod â'r dosbarth yn ôl at ei gilydd a gweiddi ambell rif allan i glywed yr ymateb. Efallai y bydd modd gofyn i unigolion, os ydyn nhw'n dechrau cael gafael arni.

1.6 Geiriau hir

1. Weithiau bydd dysgwyr yn mwynhau rhoi cynnig ar eiriau hir ac astrus – yn enwedig os ydynt yn cyfuno'r cyfarwydd â'r anghyfarwydd, fel 'eliffantod'.
2. Cofiwch eto am yr hiwmor hollbwysig!

1.7 Enwau lleoedd

1. Cyn symud i wneud y gweithgaredd mapiau yn y llyfr cwrs, holi pawb yn ei dro ble maen nhw'n byw ac ysgrifennu enwau'r lleoedd (yn Gymraeg!) ar y bwrdd du.
2. Gweithio drwy'r rhain - gan roi sylw arbennig bob tro i'r rhai sy'n byw yn y dref / pentref / ardal o dan sylw.
3. Yna, edrych gyda'r dosbarth ar yr enwau lleoedd ar y ddau fap - gweithio o'r gogledd i'r de ac ynganu'r cyfan gyda'r dosbarth yn dynwared.
4. Dim ond wedyn y dylai parau fynd ati i wneud y gweithgaredd fel y mae yn y llyfr cwrs.
5. Mynd o gwmpas eto i roi sylw i unigolion.

1.8 Enwau pobl

1. Paratoi set o gardiau ag enwau Cymraeg cyffredin arnyn nhw. Awgrymir y canlynol:

   Steffan, Sioned, Siôn, Elen, Elin, Euros, Meirion, Geraint, Gareth, Eleri, Emyr, Rhiannon, Arthur, Angharad, Bedwyr, Berwyn, Bleddyn, Bryn, Carwyn, Dafydd, Delyth, Dewi, Dyfed, Eirian, Garmon, Gwenllïan, Heulwen, Haf, Hefin, Heledd, Iestyn, Iolo, Islwyn, Lleucu, Llŷr, Meinir, Mererid, Meurig, Owain, Peredur, Rheinallt, Rhodri, Tudur, Urien, Ynyr.

2. Gall y tiwtor ychwanegu unrhyw enwau eraill y teimla eu bod yn cael eu camynganu'n gyson. Mae storïau personol yn help - e.e. y ffrind o'r enw Euros oedd yn cael ei alw'n 'Euros' (yr arian) neu'n 'Eros' yn Lloegr.

3. Mynnu bod yr ynganu'n gywir wrth i bawb ddynwared.

4. Gellid rhoi cerdyn neu ddau i bob aelod o'r dosbarth, a gall pawb symud o gwmpas yn dangos ei gerdyn/cherdyn i bob aelod arall yn eu tro, er mwyn i bawb gael cyfle pellach i'w hynganu.

5. Mae hwn yn gyfle i holi pobl am unrhyw un sydd ag enw Cymraeg yn y teulu neu ymhlith eu ffrindiau, a gwneud yn siŵr fod pawb yn gallu eu hynganu'n iawn!

1.9 Prawf arwyddion

1. Bydd nifer o'r dysgwyr wedi gweld rhai o'r arwyddion hyn o'r blaen. Gofynnwch am gynigion ar eu hynganu. Cywirwch yn sensitif, ond mynnwch eu bod yn cael eu hynganu'n gywir.

2. Holwch am arwyddion eraill a welsant – efallai yn yr adeilad lle mae'r dosbarth yn cael ei gynnal, neu hyd yn oed yn yr ystafell.

1.10 Y Prawf Terfynol

1. Rhannu'r dosbarth yn barau i benderfynu sut mae ynganu pob gair.

2. Dod â phawb yn ôl at ei gilydd a dechrau system sgorio ar y bwrdd du - llythrennau blaen enwau pob pâr mewn colofn - digon o le i gofnodi pwyntiau.

3. Rhoi cyfle i bob pâr ddweud beth yw'r gair - ac ar ôl cael ymateb gan bob pâr, rhoi'r marciau.

Annog pawb i ymarfer ynganu cyn y dosbarth nesaf!

Nod: Cyfarch a Chyflwyno, Rhifo 0-10, Dyddiau'r Wythnos

Trefn yr Uned

2.1 **Cyflwyno'r cyfarchion / Ffarwelio**
2.2 **Ymarfer y cyfarchion**
2.3 **Cyflwyno: '......... dw i - Pwy dych/dach chi?'**
2.4 **Cyfarch a holi ei gilydd**
2.5 **Cyflwyno: 'Sut dych/dach chi?', 'Da iawn', 'Gweddol' ac ati**
2.6 **Llenwi grid**
2.7 **Cyflwyno: Rhifau o 0 - 10 a gêm i ddosbarthiadau dros 10 mewn nifer**
2.8 **Gêm i'r dosbarth – Bingo**
2.9 **Gwneud sỳms!**
2.10 **Cyflwyno: Dyddiau'r Wythnos**
2.11 **Rhoi dyddiau'r wythnos mewn trefn**
2.12 **Cyflwyno'r ddeialog**
2.13 **Ymarfer y ddeialog a disodli elfennau**
2.14 **Egluro'r ymarferion yn y Pecyn Ymarfer**

Adnoddau i'w paratoi

- 6-8 cerdyn gydag amser gwahanol ar bob un
- Bag ffa

Manylion y gweithgareddau

2.1 Cyflwyno: Cyfarchion / Ffarwelio (5 munud)

Drilio'r cyfarchion yn eu tro (gweler Cyfarwyddiadau cyffredinol).

2.2 Ymarfer y cyfarchion (5-7 munud)

Ymarfer 'Bore da', 'Prynhawn da', 'Noswaith dda' fel dosbarth drwy ddefnyddio 6-8 cerdyn gydag amser gwahanol ar bob un - e.e. 8 a.m., 3 p.m., 7.30 p.m. Yna cael pawb i weithio'n barau gan ddefnyddio'r ymarfer Gyda phartner yn y llyfr.

2.3 Cyflwyno: '............. dw i' / 'Pwy dych/dach chi?' (10 munud)

1. Dweud eich enw - e.e. 'Steffan dw i' - a chael y dosbarth i ailadrodd.
2. Mynd at bob un yn y dosbarth a'ch cyflwyno eich hunan, e.e. 'Sut mae? Steffan dw i.'

3. Mynd at un o'r dosbarth a dweud 'Sut mae? Steffan dw i. Pwy dych/dach chi?'
4. Os bydd y dysgwr yn dweud 'Steffan dw i' - mynegi syndod - 'Steffan dych/dach chi?' a'i gynorthwyo os oes angen i ddweud beth yw ei enw, e.e. 'Lynne dw i.'
5. Dechrau mynd o gwmpas y dosbarth i gyd i'w cael i ddweud eu henwau yn yr un modd.
6. Ar ôl siarad â rhyw 3 neu 4 aelod o'r dosbarth, ymestyn y sgwrs drwy ddweud:

Tiwtor:	Bore da, sut mae? Steffan dw i. Pwy dych/dach chi?
Unigolyn:	Bob dw i.
Tiwtor:	Braf cwrdd â chi/Braf eich cyfarfod chi, Bob. Hwyl.
Unigolyn:	Hwyl.

2.4 Cyfarch a holi ei gilydd (15 munud)

1. Cyfle i'r dosbarth fynd o gwmpas i gyfarch ei gilydd a holi ei gilydd am eu henwau. Annog pawb i siarad â chynifer o bobl ag sy'n bosib i ymarfer (ac fel nad ydyn nhw'n dechrau siarad am bethau eraill yn Saesneg!)
2. Er mwyn i'r dysgwyr ymarfer cyfarch ar wahanol adegau o'r dydd, rhoi amser gwahanol ar y bwrdd du a'i newid bob hyn a hyn.
3. Mae'n beth da i'r tiwtor ei gynnwys ei hun yn y gweithgaredd er mwyn atgoffa'r dysgwyr o ambell ymadrodd fel: 'Braf cwrdd â chi / Braf eich cyfarfod chi.'

2.5 Cyflwyno: 'Sut dych chi?' 'Da iawn', 'Gweddol' ac ati (10 munud)

1. Cyflwyno drwy ddrilio fel arfer.
2. Ar ôl y dril, gall y tiwtor ofyn y cwestiwn 'Sut dych/dach chi?' a meimio'r ateb i'r dysgwyr unigol - 'Wedi blino', 'Da iawn', 'Ofnadwy' ac yn y blaen.

2.6 Llenwi grid (10 munud)

1. Pawb i fynd i holi 4 person sut maen nhw a defnyddio'r grid yn y llyfr cwrs i gofnodi'r atebion.
2. Dod â'r dosbarth yn ôl at ei gilydd a holi ambell unigolyn sut mae e / o neu hi'n teimlo, yn y gobaith nad yw pawb yn teimlo'n ofnadwy!

2.7 Cyflwyno: Rhifau o 0 – 10 (10 munud)

1. Cyflwyno'r rhifau drwy eu hysgrifennu (heb y geiriau Cymraeg) ar y bwrdd du a chael y dosbarth i ailadrodd y pedwar rhif cyntaf, e.e. dim, un, dau, tri.
2. Cyn symud ymlaen at y rhifau nesaf, pwyntio at y rhifau mewn unrhyw drefn a'r dosbarth i roi'r rhif – e.e. tri, un, dim, dau, tri, dau, dim, tri, un.
3. Cyflwyno 4, 5, 6 a chael y dosbarth i ailadrodd. Ar ôl ymarfer y tri rhif yma, dechrau adolygu 0, 1, 2, 3 hefyd a phwyntio at wahanol rifau yn eu tro: e.e. chwech, un, pump, dau, dim, pedwar, tri, ac yn y blaen.
4. Gorffen gyda 7, 8, 9, 10. Dilyn yr un drefn eto fel eich bod yn adolygu'r rhifau i gyd erbyn y diwedd.

Gêm - i ddosbarthiadau gyda mwy na 10 dysgwr (5 munud)

5. Gêm y gellir ei chwarae os oes mwy na deg yn y dosbarth yw cael deg o bobl allan o flaen y dosbarth a rhoi darn o bapur gyda rhif o 1 - 10 yn eglur ar bob papur. Y dysgwyr hyn i sefyll yn eu trefn o 1 - 10. Dewis dysgwyr sydd ar ôl yn eistedd i ddweud gwahanol rifau yn araf fel bod y rhai sy'n sefyll yn y blaen yn gorfod codi eu rhif i fyny.

2.8 Gêm i'r dosbarth: Bingo (10 munud)

1. Defnyddio'r grid yn y llyfr i ysgrifennu tri rhif hyd at 10.
2. Y tiwtor i alw'r tro cyntaf, a'r cyntaf i gael tri rhif i alw 'Tŷ'.
3. Yr enillydd i alw'r rhifau'r tro nesaf.
4. Cofio gwneud cofnod o'r rhifau sy'n cael eu galw, rhag ofn i rywun 'dwyllo'! Yn wir, gallai'r tiwtor geisio twyllo drwy alw 'Tŷ' heb i'r rhifau i gyd gael eu galw, i weld a fydd rhywun yn sylwi ac yn ei herio.

2.9 Gwneud sỳms! (5 munud)

Y tiwtor i alw'r rhifau yn Gymraeg a'r dysgwyr i roi'r atebion yn Gymraeg. Ymarfer llafar yw hwn – mae ymarfer tebyg yn y Pecyn Ymarfer. Bydd angen egluro 'tynnu' ('Wyth tynnu dau').

2.10 Cyflwyno: Dyddiau'r Wythnos (10 munud)

1. Cyflwyno dyddiau'r wythnos drwy gyfrwng dril sydyn.
2. Taflu'r bag ffa o'r naill ddysgwr i'r llall wrth iddynt adrodd dyddiau'r wythnos yn eu trefn. Dechrau ar ddydd Sul / dydd Mercher ac ati. Yr un sy'n derbyn y bag yn gorfod dweud enw'r diwrnod nesaf cyn taflu at rywun arall, etc.

2.11 Rhoi dyddiau'r wythnos mewn trefn (5 munud)

Gan ddefnyddio'r rhestr yn y llyfr cwrs, parau i roi dyddiau'r wythnos mewn trefn bob yn ail. Ymarfer llafar yw hwn - mae ymarfer ysgrifenedig tebyg yn y Pecyn Ymarfer.

2.12 Cyflwyno'r ddeialog (5 munud)

Cyflwyno'r ddeialog yn ôl y Cyfarwyddiadau cyffredinol. Does dim elfennau anghyfarwydd ynddi.

2.13 Ymarfer y ddeialog a disodli elfennau (10 munud)

1. Rhannu'r dysgwyr yn barau i ymarfer y ddeialog fel y mae i ddechrau.
2. Dweud eich bod eisiau iddynt ddisodli elfennau. Mae un enghraifft i'w gweld yn y llyfr.
3. Annog pawb erbyn y diwedd i ymarfer y ddeialog heb y 'sgript'.

2.14 Egluro'r ymarferion yn y Pecyn Ymarfer (5 munud)

1. Egluro beth sydd angen ei wneud yn y Pecyn Ymarfer fel bod pawb yn barod i wneud y tasgau gartref.
2. Mae'n werth annog y dosbarth i beidio â gwneud y tasgau'n syth, ond yn hytrach i fynd yn ôl atyn nhw ymhen rhai diwrnodau, fel mai adolygu sy'n digwydd.

Nod: Gofyn am wybodaeth sylfaenol a'i rhoi

Pwyntiau gramadegol sy'n codi

- Treiglad Trwynol ar ôl **yn** = *in*, ond dim ond wrth fynd heibio
- Treiglad Meddal ar ôl **o**
- Ateb 'Ydw / Nac ydw' i gwestiynau'n dechrau â 'Dych / Dach chi...?'
- Ateb 'Ie / Nage / Ia / Naci' i gwestiynau lle mae enw ar ddechrau'r frawddeg, e.e. 'Huw dych / dach chi?'

Trefn yr Uned

3.1 Cyfarch a chofrestru'r dysgwyr
3.2 Trafod rhifau ffôn
3.3 Cyflwyno: 'Ble dych / Lle dach chi'n byw?'
3.4 Gweithgaredd: 'Dych / Dach chi'n byw yn ....?'
3.5 Cyflwyno: 'O ble dych / O le dach chi'n dod/dŵad yn wreiddiol?'
3.6 Chwilio am bartner
3.7 Cyflwyno '........ dw i'
3.8 Cyflwyno 'Dw i'n gweithio mewn ....'
3.9 Holiadur o gwmpas y dosbarth
3.10 Deialog
3.11 Cyflwyno'r ymarferion a ffarwelio

Adnoddau i'w paratoi

- Llungopïo cardiau 'Chwilio am Bartner'

3.1 Cyfarch a chofrestru'r dysgwyr (5 munud)

1. Wrth i bob dysgwr ddod i mewn i'r dosbarth, ei gyfarch/chyfarch drwy ddweud 'Sut mae?'/ 'Noswaith dda '/ 'Sut dych/dach chi?' - er mwyn dechrau sefydlu'r Gymraeg fel y prif gyfrwng cyfathrebu.
2. Ar ôl i bawb gyrraedd, cofrestru'r myfyrwyr drwy ofyn i ddechrau: 'Pwy dych/dach chi?' - gan ddisgwyl yr ymateb 'John Hughes dw i'.
3. Newid y cwestiwn ar ôl ychydig i: 'Beth yw'ch enw / Be' ydy'ch enw chi?' Tynnu sylw at y ffaith fod yr ateb 'John dw i' yn dal yn dderbyniol.
4. Dweud wrth y dosbarth eich bod yn diwtor anghofus iawn sy'n cael trafferth cofio enwau pobl. Mynd o gwmpas y dosbarth yn holi 'Cheryl (etc.) dych / dach chi?' a gofyn am yr ymateb 'Ie / Ia' neu 'Nage / Naci, Carol dw i'.
5. Ymestyn y gweithgaredd drwy ofyn i un myfyriwr ar y tro geisio cofio enw aelod arall o'r dosbarth drwy holi: '.......... dych / dach chi?'

3.2 Trafod rhifau ffôn (15 munud)

1. Gofyn i bob aelod o'r dosbarth greu rhif ffôn (nid eu rhif ffôn personol nhw) a'i ysgrifennu ar ddarn o bapur.
2. Drilio'r cwestiwn, 'Beth yw'ch / Be' ydy'ch rhif ffôn chi?'
3. Gofyn i'r myfyriwr cyntaf ofyn 'Beth yw'ch/Be' ydy'ch rhif ffôn chi?' i chi fel tiwtor a phawb yn y dosbarth i ysgrifennu'r rhif ar ddarn o bapur.
4. Holi aelod arall, 'Beth yw/Be' ydy fy rhif ffôn i?' ac ysgrifennu'r rhif ar y bwrdd du wrth i'r person ei ddarllen gan ofyn i weddill y dosbarth a yw'n gywir ai peidio.
5. Parhau â'r gweithgaredd drwy gael y myfyrwyr i symud o gwmpas i holi a chofnodi enwau a rhifau ffôn hyd at 5 person (grid yn y llyfr cwrs).
6. Ar ôl i bawb ddod nôl i'w seddi, gofyn i'r myfyrwyr adrodd rhifau ffôn ei gilydd a gweld a ydynt yn gywir ai peidio.

3.3 Cyflwyno: 'Ble dych/Lle dach chi'n byw?' (10 munud)

1. Drilio'r cwestiwn a'r ateb sydd yn y llyfr cwrs ac yna dechrau holi aelodau'r dosbarth ble maen nhw'n byw. Er mwyn cael digon o amrywiaeth, gofyn am y pentre neu'r ardal o'r dre / ddinas y maen nhw'n byw ynddo / ynddi.
2. Mae'r treiglad trwynol ar ôl **yn** a'r ffaith fod **y** o flaen rhai enwau lleoedd yn mynd i godi eu pennau. Ond wrth gyflwyno, dywedwch y bydd hyn yn cael ei egluro yn nes ymlaen, a nodi lle mae pawb yn byw'n unig ar y bwrdd du, e.e.

   yn Nhreforys
   yng Nghaerfyrddin
   yn y Fenni

   Defnyddio'r rhestr sydd ar y bwrdd du i ddechrau holi unigolion fel hyn:
   'Dych / Dach chi'n byw yng Nghaerdydd?' a chael yr ateb
   'Ydw, dw i'n byw yng Nghaerdydd' neu
   'Nac ydw, dw i ddim yn byw yng Nghaerdydd'
   a 'Nac ydw, dw i'n byw ym Mhontypridd.'

3.4 Gweithgaredd: 'Dych/Dach chi'n byw yn ....?' (10 munud)

1. Gan ddefnyddio'r map o Gymru yn y llyfr cwrs, cyflwyno'r gweithgaredd drwy ddweud eich bod yn byw yn un o'r trefi ar y map. Rhaid i aelodau'r dosbarth geisio dyfalu ble dych chi'n byw drwy holi:

   'Dych / Dach chi'n byw yn Aberystwyth?'

   Bydd angen eu hatgoffa o'r ffordd i ymateb:

   'Ydw, dw i'n byw yn Aberystwyth' neu
   'Nac ydw, dw i ddim yn byw yn Aberystwyth.'

   (Mae'r enwau hyn i gyd yn osgoi'r treiglad trwynol.)
2. Unwaith y byddant wedi dyfalu ble dych chi'n byw, gofyn i'r dosbarth symud o gwmpas i chwarae'r gêm ddyfalu eu hunain drwy ofyn un cwestiwn i bob person.
3. Mynd o gwmpas i helpu!

3.5 Cyflwyno: 'O ble dych / O le dach chi'n dod/dŵad yn wreiddiol?' (5-10 munud)

Cyflwyno'r cwestiwn a'r atebion priodol - mae'r nodyn ar ramadeg yn sôn am y treiglad meddal ar ôl **o**, ond am y tro, dim ond cofio ei enghraifft ei hun sydd angen i bob myfyriwr ei wneud.

3.6 Chwilio am Bartner (15 munud)

1. Rhoi un cerdyn i bob aelod o'r dosbarth, gan gynnwys y tiwtor os bydd angen cael person ychwanegol i wneud pâr.
2. Pawb i fynd o gwmpas yn holi
   'Beth yw'ch / Be' ydy'ch enw chi?'
   'Ble dych / Lle dach chi'n byw?' a 'O ble / O le dych/dach chi'n dod/dwâd yn wreiddiol?'
   er mwyn ceisio dod o hyd i rywun sy'n byw ac yn dod o'r un lle â nhw.
3. Cadw rhai cardiau dros ben i'w rhoi i'r rhai sy'n dod o hyd i'w partner yn gyflym.

3.7 Cyflwyno ' ...... dw i' (10 munud)

1. Drilio'r cwestiwn a'r set gyntaf o ymatebion - h.y. 'Athrawes dw i' ac ati.
2. Holi pob unigolyn a rhoi'r eirfa briodol ar y bwrdd du.
3. Mae'n bosib iawn hefyd y bydd rhai aelodau o'r dosbarth wedi ymddeol neu'n ddi-waith, felly dyma gyfle i gyflwyno'r brawddegau hyn hefyd.
4. Ymarfer mewn grwpiau o dri am ychydig funudau.

3.8 Cyflwyno 'Dw i'n gweithio mewn .... / yn ....' (10 munud)

1. Drilio'r cwestiwn a'r brawddegau sydd yn y llyfr cwrs.
2. Mynd o gwmpas i holi'r dosbarth 'Ble dych / Lle dach chi'n gweithio?' i gael yr ateb: 'Dw i'n gweithio mewn .... / yn ....' a gweld a oes lleoliadau gwaith eraill yn codi. Mae nodyn yn yr adran ramadeg i egluro'r gwahaniaeth rhwng **mewn** ac **yn**.

3.9 Holiadur o gwmpas y dosbarth (15 munud)

1. Defnyddio'r grid yn y llyfr cwrs fel holiadur. Gofyn pa gwestiynau sydd angen eu gofyn i gael yr atebion, ond peidio â chaniatáu i neb eu hysgrifennu uwchben y penawdau - y nod yw eu cael i'w cofio!

   Enw? 'Beth yw'ch / Be' ydy'ch enw chi?'
   Byw? 'Ble dych / Lle dach chi'n byw?'
   O Ble / Le? 'O ble dych / O le dach chi'n dod yn wreiddiol?'
   Gwneud? 'Beth dych / Be' dach chi'n wneud?'
2. Pawb i fynd o gwmpas y dosbarth yn holi manylion personol pawb arall.

3.10 Deialog (15 munud)

1. Cyflwyno'r ddeialog a'r dosbarth yn ailadrodd.
2. Ymarfer fesul pâr.
3. Parau i ddisodli'r elfennau.
4. Parau i 'berfformio' deialogau lle maen nhw wedi disodli elfennau.

3.11 Cyflwyno'r ymaferion a ffarwelio (5 munud)

Egluro'r ymarferion yn y Pecyn Ymarfer a ffarwelio.

Cardiau chwilio am bartner (22 cerdyn)

Enw: Siôn Hughes Byw: Caerfyrddin Yn wreiddiol: Caernarfon	Enw: Brian Rowlands Byw: Caerfyrddin Yn wreiddiol: Caernarfon
Enw: Denzil Rees Byw: Casnewydd Yn wreiddiol: Aberaeron	Enw: Hywel Evans Byw: Casnewydd Yn wreiddiol: Aberaeron
Enw: Kathryn Bowen Byw: Pontypridd Yn wreiddiol: Maesteg	Enw: Elizabeth Morgan Byw: Pontypridd Yn wreiddiol: Maesteg
Enw: Sara Harris Byw: Abertawe Yn wreiddiol: Llundain	Enw: Clive Hughes Byw: Abertawe Yn wreiddiol: Llundain
Enw: Dewi Bowen Byw: Tyddewi Yn wreiddiol: Hwlffordd	Enw: Morgan Edwards Byw: Tyddewi Yn wreiddiol : Hwlffordd
Enw: Carys Williams Byw: Caerdydd Yn wreiddiol: Aberhonddu	Enw: Llinos Healy Byw: Caerdydd Yn wreiddiol: Aberhonddu

Enw: Hefin Jones

Byw: Rhydaman

Yn wreiddiol: Llanelli

Enw: Mari Eynon

Byw: Rhydaman

Yn wreiddiol: Llanelli

Enw: Arwel Davies

Byw: Casnewydd

Yn wreiddiol: Y Fenni

Enw: Michael Jones

Byw: Casnewydd

Yn wreiddiol: Y Fenni

Enw: Rhian Lewis

Byw: Merthyr Tudful

Yn wreiddiol: Y Fenni

Enw: Bronwen Pugh

Byw: Merthyr Tudful

Yn wreiddiol: Y Fenni

Enw: Iwan Davies

Byw: Llanbedr Pont Steffan

Yn wreiddiol: Aberystwyth

Enw: Huw Prosser

Byw: Llanbedr Pont Steffan

Yn wreiddiol: Aberystwyth

Enw: Eleri Llwyd

Byw: Abergwaun

Yn wreiddiol: Crymych

Enw: Ioan Morris

Byw: Abergwaun

Yn wreiddiol: Crymych

Nod: Gofyn am wybodaeth sylfaenol am berson arall a'i rhoi

Pwyntiau gramadegol sy'n codi

- Ateb 'Ydy/Nac ydy' i gwestiynau'n dechrau â 'Ydy e / o / hi ...?'
- Ateb 'Ie / Nage' neu 'Ia / Naci' os oes enw ar ddechrau'r cwestiwn.
- Peidio defnyddio **yn ('n)** ac **wedi** gyda'i gilydd - e.e. Mae e'n wedi ymddeol.
- Esbonio **y / yr / 'r**
- Does dim angen treulio amser yn tynnu sylw at y newidiadau ar ôl **ei** (gwrywaidd / benywaidd)

Trefn yr Uned

4.1 Cyflwyno patrymau 1.
4.2 Cyflwyno patrymau 2. a holi am rifau ffôn pobl eraill
4.3 Cyflwyno patrymau 3.
4.4 Cyflwyno patrymau 4. ac enwau gwahanol alwedigaethau
4.5 Cyflwyno patrymau 5.
4.6 Gêm Gylch
4.7 Parti Coctel
4.8 Deialog

Adnoddau i'w paratoi

- Lluniau o enwogion (tua 10-12)
- Llungopïo'r lluniau a pharatoi cardiau fflach i ddarlunio gwahanol alwedigaethau

4.1 Cyflwyno patrymau 1. (10-15 munud)

1. Drilio'r patrwm sylfaenol drwy fynd o gwmpas y dosbarth yn dweud beth yw enw pawb:
   'Carol yw hi. Edward yw e. Carol ydy hi. Edward ydy o.'
   Os yw'r tiwtor yn anghofio enw dysgwr, dylid gofyn - 'Beth yw / Be' ydy'ch enw chi?'
2. Yna, dewis un aelod a holi pawb arall: 'Beth yw ei enw e/hi?' / Be' ydy ei enw o / hi? / 'Pwy yw e / hi?' / 'Pwy ydy o/hi?' Pawb i ateb gyda'i gilydd fel côr: 'Geraldine yw / ydy hi.'
3. Ar ôl dewis aelodau gwahanol ac ymarfer y frawddeg fel côr, dewis unigolion i ddweud pwy yw pwy.
4. Gofyn cwestiynau wedyn - 'Edward yw e / ydy o?' 'Carol yw/ydy hi?' a chael yr ateb 'Ie / Nage' neu 'Ia / Naci', '.......... yw e / hi / ydy o / hi'.
5. Dangos lluniau o ryw 10 - 12 o enwogion a rhai llai enwog: Tom Jones, Catherine Zeta Jones, Elvis, sêr y byd rygbi ac ati i holi cwestiynau.
   'Pwy yw e/hi?' / 'Pwy ydy o / hi?'
   'Beth yw / Be' ydy ei enw e/o ei henw hi?'
   'Elvis yw e?' / 'Elvis ydy o?' ('Nage, Tony Blair yw e!') / ('Naci, Tony Blair ydy o!')

4.2 Cyflwyno patrymau 2. (10-15 munud)

1. Defnyddio'r wybodaeth sydd gan bawb yn eu llyfrau cwrs **(Uned 3 – Grid Holi am enwau a rhifau ffôn)** i gyflwyno'r cwestiynau drwy holi pobl am rifau ffôn pobl eraill.
2. Pawb i wneud rhestr o rifau ffôn 4 person yn y dosbarth sydd **ddim** gyda nhw yn eu llyfr cwrs (grid i'w lenwi yn y llyfr cwrs)
3. Pawb i symud o gwmpas yn dod o hyd i rifau ffôn 4 person arall drwy holi 'Beth yw / Be' ydy rhif ffôn X?' - holi am un rhif i bob person. Nid copïo'r rhifau ddylai ddigwydd; rhaid adrodd y rhif ffôn i'r person arall ei ysgrifennu.
4. Ar ôl i bawb ddod nôl i'w seddi, holi unigolion i weld a yw pawb yn cytuno ar rifau ffôn gwahanol unigolion.

4.3 Cyflwyno patrymau 3. (10-15 munud)

1. Drilio'r brawddegau yn y llyfr cwrs, gan dynnu sylw at **y / yr** os oes angen (mae nodyn yn yr adran ar ramadeg).
2. Yna symud ymlaen i holi pawb am unigolion yn y dosbarth. 'Ble / Lle mae .... yn byw?' / 'O ble mae .... yn dod yn wreiddiol?'/ neu 'O le mae .... yn dŵad yn wreiddiol?' a disgwyl yr ateb:
   'Mae ...... yn byw yn ......' neu
   'Mae e / hi neu o'n byw yn ......'
   'Mae e / hi neu o'n dod/dŵad yn wreiddiol o ....'
3. Defnyddio'r lluniau o enwogion i holi'r cwestiwn: 'Ble / Lle mae X / e / hi'n byw?'
   'O ble mae e / hi'n dod yn wreiddiol?' / 'O le mae o/hi'n dŵad yn wreiddiol?'
   a chael dysgwyr i holi ac ateb ei gilydd ar draws y dosbarth ar ôl ychydig.
4. Bydd rhaid cyflwyno 'Dw i ddim yn gwybod' hefyd os oes angen (wedi'i gynnwys yn yr eirfa).

4.4 Cyflwyno patrymau 4. Enwau gwahanol alwedigaethau a gêm ddyfalu (10+ munud)

1. Drilio'r cwestiwn 'Beth / Ble mae e / o / hi'n wneud?' a ' Mecanic yw e / ydy o' ac ati.
   Defnyddio'r cardiau fflach i gyflwyno galwedigaethau eraill:
   Trydanwr yw e / ydy o
   Ffermwr/Ffarmwr yw e / ydy o
   Swyddog gweinyddol yw / ydy hi
   Plismon yw e / ydy o
   Gyrrwr yw e / ydy o
   etc.

2. Ar ôl drilio'r eirfa, gofyn y cwestiwn: 'Beth / Be' mae e / hi / o'n wneud?' i unigolion yn y dosbarth a dangos cerdyn newydd bob tro i gael ymateb.
3. Yna, gan ddefnyddio'r un lluniau yn y llyfr cwrs, parau i ymarfer yr un cwestiynau/ atebion.
4. Parau i chwarae gêm ddyfalu. Un person i feddwl am berson a galwedigaeth, y llall i ddyfalu.
   'Beth / Be' mae hi'n wneud? Plismones yw/ydy hi?' - **'Nage / Naci.'**
   'Artist yw/ydy hi? - **'Ie / Ia.'**

4.5 Cyflwyno patrymau 5. (15 munud)

Drilio'r patrymau ac yna holi aelodau'r dosbarth am ei gilydd gan ddefnyddio'r un patrymau ac adolygu'r rhai blaenorol yr un pryd.

4.6 Gêm Gylch (10 munud)

1. Gêm gofio sy'n cynyddu wrth fynd yn ei blaen. Oherwydd hyn, mae'n well dewis unrhyw aelodau ansicr o'r dosbarth ar ddechrau'r gêm gan fod ganddyn nhw lai i'w gofio! Gellir osgoi'r gweithgaredd yn llwyr gyda dosbarthiadau enfawr. Neu greu dau gylch.
2. Pawb mewn hanner cylch a'r tiwtor i ddweud:
   'Dw i'n gweithio fel tiwtor' neu beth bynnag.
3. Dewis ail berson i ddweud beth / be' yw ei waith / ble mae'n gweithio ac ychwanegu'r wybodaeth am y person cyntaf hefyd.
   'Ysgrifenyddes dw i. Mae hi'n gweithio fel tiwtor.'
4. Felly bydd y trydydd person yn dweud:
   'Dw i wedi ymddeol. Ysgrifenyddes yw / ydy hi. Mae hi'n gweithio fel tiwtor.'
5. Bydd rhaid i bawb gofio manylion pawb arall sydd wedi mynd o'i flaen. Mae edrych ar yr unigolyn yn help!

4.7 Parti Coctel (tua 15 munud)

1. Parau yn symud o gwmpas y dosbarth yn cyflwyno ei gilydd i barau eraill, e.e.
   'Noswaith dda. Carol dw i. Dyma Edward. Mae e / o'n byw yn Hwlffordd. Mae e / o'n dod / dŵad o Lundain yn wreiddiol. Mae e / o'n gweithio yn y banc.'
   Bydd Edward wedyn yn ei gyflwyno ei hun a rhoi manylion am Carol, a'r pâr arall sy'n eu hwynebu'r un modd.
2. Annog parau i holi cwestiynau hefyd, yn hytrach na bod pawb yn adrodd ei bwt.
3. Gall y tiwtor gynnal cwis wedyn: 'O ble / O le mae Edward yn dod / dŵad yn wreiddiol?' 'Beth / Be' mae Carol yn wneud?'

4.8 Deialog (15 munud)

Cyflwyno'r ddeialog a pharau i ymarfer a disodli fel arfer cyn ei pherfformio.

JO1S 1

CI
CATH

CY

Nod: Adolygu ac Ymestyn

Pwyntiau gramadegol sy'n codi

- Cystrawen meddiant / eiddo – 'Partner Kevin dw i'
- Mae'r Uned yn cynnwys rhestr o batrymau'r cwrs hyd yma, a rhestr o eirfa Unedau 2-5

Trefn yr Uned

5.1 Cyflwyno patrymau 1. ac adolygu
5.2 Cyflwyno patrymau 2. a'ch diffinio eich hunan. Pwy dych / dach chi'n nabod?
5.3 Sgwariau sydyn
5.4 Fy ffrind gorau
5.5 Siart achau
5.6 Darn i'w ddarllen yn uchel
5.7 Deialog ar dâp / CD
5.8 Adolygu rhifau ffôn
5.9 Cyflwyno'r Rhestr Gyfair

Adnoddau i'w paratoi

- Darn o bapur (sgrap) i'w roi i bob aelod o'r dosbarth
- 2 ddarn o bapur (sgrap) i bob tîm
- Y tâp / CD yn barod i'w chwarae

5.1 Cyflwyno patrymau 1. ac adolygu (5 munud)

Cyflwyno'r cyfarchion newydd, a chwarae gêm gadwyn - un person i gyfarch person arall:
'Sut mae heddiw, Susan?'
a'r person hwnnw i ymateb (os oes eisiau) a chyfarch y person nesa. Rhaid cyfarch y person nesa mewn ffordd wahanol i'r ffordd y cawsoch chi eich cyfarch.

5.2 Cyflwyno patrymau 2. a'ch diffinio eich hunan. Pwy dych / dach chi'n nabod? (20-25 munud)

1. Cyflwyno'r set 'Gwraig Bob dw i...' drwy ddweud pethau tebyg amdanoch chi eich hun a'u hysgrifennu ar y bwrdd du / gwyn. Gallech ddefnyddio peth o'r eirfa sydd yn yr uned hefyd - brawd / chwaer / mab / merch / tad / mam.
2. Rhoi darn o bapur i bob aelod o'r dosbarth a gofyn iddyn nhw wneud rhestr o dair brawddeg i'w 'diffinio' eu hunain, e.e.
   Partner Bill dw i.
   Ffrind Carys dw i.
   Chwaer Mary dw i.

3. Rhoi amser i bawb gofio'r tair brawddeg a chasglu'r papurau.
4. Cyflwyno'r Grid sydd yn y llyfr cwrs, mynd dros y cwestiynau sydd angen eu gofyn a phawb i fynd o gwmpas yn holi 4 - 5 person arall a llenwi'r grid. Mae un enghraifft yno'n barod yn ganllaw.
5. Dod â phawb yn ôl at ei gilydd a chynnal cwis drwy ddarllen yr wybodaeth sydd ar y papurau a gasglwyd, a'r dysgwyr yn edrych ar eu grid (os oes angen): 'Pwy yw e / ydy o?' neu 'Pwy yw / ydy hi?'
'Brawd Michael yw e / ydy o'
'Ffrind Kevin yw e / ydy o'
'Gŵr Sylvia yw e / ydy o' - 'Pwy yw e / ydy o?'
6. Gweithgaredd 'Pwy dych/dach chi'n nabod?' Rhannwch y dosbarth yn barau a'u cael i holi ac ateb ei gilydd am yr 'enwogion' yn y lluniau yn y llyfr cwrs. Yna gwneud yr un peth fel dosbarth.

e.e.	'Gwraig Michael yw hi / ydy hi'	
	'Mam Dylan yw hi / ydy hi'	(Catherine Z. Jones)
neu:	'Gŵr Cherie yw e / ydy o'	
	'Tad Ewan yw e / ydy o'	(Tony Blair)
neu:	'Gwraig David yw hi / ydy hi'	
	'Mam Romeo yw hi / ydy hi'	(Victoria Beckham)

[Y lleill yw Michael a Ralf Schumacher, Gordon a Sarah Brown a'u mab John, y Simpsons - Homer y tad, Marge y fam, Bart y mab, a Lisa'r ferch.]

5.3 Sgwariau sydyn (20 munud)

1. **Sgwariau sydyn** yn y llyfr cwrs: Rhannu'r dosbarth yn barau. Edrych dros gynnwys y sgwariau yn y llyfr, yna pob unigolyn yn dewis un elfen o bob sgwâr. Parau'n holi ac ateb ei gilydd:
'Beth yw/Be' ydy'ch enw chi?' - 'Sara dw i.'
'Ble dych/Lle dach chi'n byw?' - 'Dw i'n byw yn y wlad.'
Gall parau sy'n gweithio'n gyflym ddewis elfennau newydd a symud i weithio gyda phartneriaid newydd.
2. Dod â'r dosbarth at ei gilydd eto a gofyn cwestiynau i unigolion am eu partneriaid i gael yr atebion yn y trydydd person.
'Ble mae / Lle mae Sara'n byw?' ac ati.
'Ydy Sara'n gweithio mewn swyddfa?
'Ydy e'n / o'n gweithio gyda/efo Huw Jones?'

5.4 Fy ffrind gorau (15-20 munud)

1. Amrywiad ar 'Parti Coctel'. Cyflwyno'r grid yn y llyfr cwrs a mynd dros y cwestiynau, e.e.

Enw?	=	'Beth yw / Be' ydy enw eich ffrind gorau?'
Byw?	=	'Ble / Lle mae eich ffrind gorau'n byw?'
Dod / Dŵad?	=	'O ble / O le mae eich ffrind gorau'n dod / dŵad yn wreiddiol?'

2. Pawb i lenwi'r golofn gyntaf yn y grid yn y llyfr cwrs i nodi'r manylion am eu 'ffrind gorau'.

3. A i roi ei fraich am ei 'ffrind gorau' a'i gyflwyno / chyflwyno i B. Bydd B yn cyflwyno ei ffrind gorau ef / hi i A.
4. A yn symud ymlaen i siarad ag C, gan gyflwyno **ffrind gorau B**, nid ei ffrind gorau gwreiddiol. Ar ôl clywed am ffrind gorau C, mae A yn mynd ymlaen i siarad ag Ch, gan gyflwyno **ffrind gorau C**.
5. Ar ôl clywed am y 3ydd / 4ydd ffrind gorau (yn dibynnu ar yr amser mae'r gweithgarwch yn ei gymryd), gofyn i bawb lenwi'r ail golofn yn y grid, i nodi manylion y ffrind gorau olaf maen nhw wedi clywed ei hanes.
6. Gofyn cwestiynau i unigolion am yr ail ffrind gorau yma, i weld ffrind gorau pwy oedd e/hi'n wreiddiol, a faint o fanylion sydd wedi newid ar hyd y daith!

5.5 Siart achau (10 munud)

1. Cyfle i ymarfer ymateb 'Ie / Ia' a 'Nage / Naci' gan ddefnyddio'r un patrwm '.... yw e / hi' '...ydy o / hi'. Bydd angen eu hatgoffa mai dyna'r ymateb cywir.
2. Yna gallant fynd ymlaen i ymarfer yn barau.

5.6 Darn i'w ddarllen yn uchel (10 munud)

1. Y tiwtor i ddarllen y darn yn uchel a phawb yn gwrando.
2. Pawb yn cael ychydig funudau i ddarllen y darn yn dawel ar eu pennau eu hunain a chyfle i holi'r tiwtor am unrhyw eiriau y maen nhw'n ansicr ynghylch eu hynganu. Nid oes angen manylu ar ystyr geiriau unigol anghyfarwydd.
3. Rhannu'r dosbarth yn drioedd a phob un yn y grŵp yn cymryd brawddeg ar y tro i'w darllen yn uchel.
4. Mynd o gwmpas i gywiro'r ynganu ac ati. Dod â phawb nôl at ei gilydd a holi unigolion (heb fod mewn unrhyw drefn benodol) i ddarllen brawddeg ar y tro.

5.7 Deialog ar dâp/CD (15 munud)

1. Mynd dros y tasgau sydd i'w cwblhau yn y llyfr cwrs wrth wrando ar y tâp. Pwysleisio na fyddan nhw'n deall popeth.
2. Chwarae'r tâp dair gwaith i gyd.
3. Y tro cyntaf, pawb i roi cylch am unrhyw **enwau** ac **enwau lleoedd** maen nhw'n eu clywed.
4. Yr ail dro, dewis rhwng yr ateb yng ngholofn A neu B.
5. Y trydydd tro, llenwi'r grid.
6. Mynd dros yr atebion.

5.8 Adolygu rhifau ffôn (5 munud)

1. Gêm os oes angen ac amser! Rhannu'r dosbarth yn dimau (o 3 neu 4). Rhoi dau ddarn o bapur i bob tîm. Y timau i ysgrifennu C (Cywir) ar un ac A (Anghywir) ar y llall.

2. Ysgrifennu'r rhifau ffôn canlynol ar y bwrdd du/gwyn:
    01792 798504
    01239 803409
    298667
    029 20 596332
    01633 914082
    683021
3. Darllen y rhifau naill ai'n gywir neu gan gynnwys camgymeriad.
4. Rhaid i'r timau benderfynu a yw'r rhif ffôn yn gywir ai peidio a chodi'r papur ag **C** neu **A** arno.
5. Rhoi un marc os yw'r tîm yn gywir.

5.9 Cyflwyno'r Rhestr Gyfair (5 munud +)

Tynnu sylw at y Rhestr Gyfair a mynd drwyddi'n sydyn i weld bod pawb yn deall yr eirfa. Annog pawb i'w llenwi cyn y wers nesaf, ar ôl gwneud y gwaith yn y Pecyn Ymarfer.

Sgript y Ddeialog

Cyflwynydd: Noswaith dda. Geraint Morgan dw i, a chroeso i chi i gyd i'r rhaglen 'Y Cwis Mawr'. Dw i yn Abertawe heno, ac mae dau berson lwcus yn barod i gystadlu am y wobr fawr.

Y cystadleuydd cyntaf heno yw Garmon Jenkins. Rhowch groeso i Garmon.

Sŵn curo dwylo

Croeso i'r rhaglen, Garmon.

Garmon: Diolch, Geraint.

Cyflwynydd: Dwedwch eich hanes wrthon ni, Garmon. Ble dych / Lle dach chi'n byw?

Garmon: Wel, dw i'n byw yng Nghaerdydd ond dw i'n dod / dŵad o Gasnewydd yn wreiddiol.

Cyflwynydd: Beth dych / Be' dach chi'n wneud, Garmon?

Garmon: Dw i'n gweithio mewn llyfrgell.

Cyflwynydd: Iawn. Gobeithio byddwch chi'n lwcus heno.

Rhowch groeso nawr i'r ail gystadleuydd, Branwen Harris.

Sŵn curo dwylo eto.

Cyflwynydd: O ble dych chi'n dod / O le dach chi'n dŵad, Branwen?

Branwen: Wel, dw i'n dod / dŵad o Hwlffordd a dw i'n byw ar fferm gyda / efo mam a dad. Ysgrifenyddes dw i, a dw i'n gweithio mewn swyddfa yn Abergwaun.

Cyflwynydd: Beth yw / Be' ydy enw mam a dad?

Branwen: Marian a Glyndwr Harris.

Cyflwynydd: Helo, Marian a Glyndwr! Sut mae heno?

Wel, croeso i chi eich dau, Branwen a Garmon.

Sŵn curo dwylo.

Nod: Trafod cynlluniau syml

Pwyntiau gramadegol sy'n codi

- Treiglad Meddal ar ôl 'i'
- Ffurfiau 'ti' presennol 'bod'
- Negyddol: Dw i ddim / Dyw e/hi ddim / Dydy o/hi ddim.

Trefn yr Uned

6.1 Cyflwyno patrymau 1.
6.2 Trafod lluniau
6.3 Holiadur Tic a Chroes
6.4 Cyflwyno patrymau 2.
6.5 Battleships – 'Ble mae e/hi'n mynd?' / 'Lle mae o / hi'n mynd?'
6.6 Gêm gylch
6.7 Holiadur mawr
6.8 Deialog

Adnoddau i'w paratoi

- Cerdyn i bob aelod o'r dosbarth + un i'r tiwtor ag enw un lle lleol sydd yn treiglo'n feddal arno ar gyfer y Gêm gylch

6.1 Cyflwyno patrymau 1. (20 munud)

1. Cyflwyno patrymau 1. Cymysgu brawddegau o wahanol setiau wrth fynd ymlaen, er enghraifft, ar ôl cyflwyno 'Ble dych / Lle dach chi'n mynd yr wythnos nesa?' - gofyn am atebion oddi wrth aelodau o'r dosbarth, felly hefyd ar ôl cyflwyno 'A ti? / A chi?'
2. Bydd angen cyfeirio at 'ti / chi', treiglo'n feddal ar ôl 'i' a'r negyddol yn y fan yma; mae'r adran ar ramadeg yn crynhoi'r prif bwyntiau.
3. Bydd angen i'r tiwtor ddefnyddio ffurfiau 'chi' a 'ti' fel ei gilydd o hyn ymlaen wrth siarad ag unigolion yn y dosbarth.

6.2 Trafod lluniau (10 munud)

1. Rhannu'r dosbarth yn barau, a defnyddio'r lluniau i holi'r cwestiynau sydd yn y llyfr cwrs. Mynd dros y lluniau i wneud yn siŵr fod pawb yn gwybod beth sydd i'w ddisgwyl ganddyn nhw.
2. Cynnal sesiwn holi ac ateb fer fel dosbarth, gan geisio cael unigolion i ymarfer 'Nac ydw, dw i ddim yn mynd i ....'

6.3 Holiadur Tic a Chroes (10 – 15 munud)

1. Mynd dros yr holiadur. Bydd angen cyflwyno pob elfen yn ei thro gan fod angen newid rhai fel 'tafarn' > 'Dych / Dach chi'n mynd i'r dafarn?'
2. Pawb i holi 3 pherson arall a llenwi'r grid yn ôl yr enghraifft sy'n cael ei rhoi.
3. Eto, dod â phawb yn ôl at ei gilydd i adolygu/atgoffa.

6.4 Cyflwyno patrymau 2. (15 munud)

Cyflwyno patrymau 2. Eto, holi ac ateb ar ôl cyflwyno rhai o'r patrymau gan gyfeirio'n ôl at rai o'r gweithgareddau sydd newydd ddigwydd yn y dosbarth - yr Holiadur Tic a Chroes, er enghraifft.

6.5 Battleships – 'Ble mae e/hi'n mynd?' / 'Lle mae o/hi'n mynd?' (10+ munud)

1. Gweithgaredd i ymarfer y trydydd person a hefyd y treiglad meddal ar ôl 'i'.
2. Rhannu'r dosbarth yn barau, mynd dros yr atebion posibl, i wneud yn siŵr fod pawb yn gwybod sut i dreiglo enw pob lle.
3. Pawb i ddewis enw i'w ffrind a dewis 4 lle y mae'n mynd iddynt, a'u hysgrifennu yn y llyfr cwrs.
4. Pawb i holi ei bartner gan ddefnyddio'r patrwm yn y llyfr cwrs a chofnodi'r atebion yn y llyfr cwrs.
5. Dod â phawb yn ôl at ei gilydd i holi cwestiynau, gan fynnu cael y treiglad yn gywir gan bawb.

6.6 Gêm gylch (10 munud)

1. Rhoi cerdyn i bob unigolyn yn y dosbarth. Bydd enw lle lleol sy'n treiglo ar bob cerdyn. Gêm gynyddol (gweler 4.6)
2. Y tiwtor i ddechrau, drwy ddweud: 'Dw i'n mynd i ....'
3. Bydd yr ail berson yn dweud: 'Dw i'n mynd i .... ac mae (enw'r tiwtor) yn mynd i ....'
4. Pawb yn ychwanegu brawddeg bob tro. Os yw pobl yn cael trafferth cofio enwau'r lleoedd, gellir eu dangos. Mae'n rhaid iddyn nhw gofio eu treiglo, wrth gwrs!

6.7 Holiadur mawr (15-20 munud)

1. Mynd dros y cwestiynau y bydd angen eu gofyn, yna pawb i holi 4 person.
2. Holi partner newydd (y 5ed person) i gael manylion 2 berson arall.
3. Dod â phawb yn ôl at ei gilydd i holi / adolygu.

6.8 Deialog (15 munud)

Dilyn y patrwm arferol wrth gyflwyno / ymarfer / disodli / perfformio'r ddeialog.

Nod: Trafod y tywydd

Pwyntiau gramadegol sy'n codi

- Treiglo ansoddeiriau ar ôl **yn / 'n**, ac eithrio **braf** > Mae hi'n **dd**iflas
- Dim treiglo berfenwau ar ôl **yn** > Mae hi'n bwrw glaw
- Amherffaith 'bod' yn y trydydd person – **Roedd hi ...**
- Dyfodol 'bod' yn y trydydd person – **Bydd hi... / Mi fydd hi...**

Trefn yr Uned

7.1 **Cyflwyno patrymau 1.**
7.2 **Cardiau fflach y tywydd**
7.3 **Gêm drac**
7.4 **Dyfalu - Ydy hi'n ...?**
7.5 **Cyflwyno patrymau 2.**
7.6 **Tywydd yr wythnos diwetha - A + B**
7.7 **Cyflwyno patrymau 3.**
7.8 **Sut bydd y tywydd yfory? - Mapiau o Gymru A + B**
7.9 **Deialog**

Adnoddau i'w paratoi

- Lluniau i'w copïo a'u torri ar ddiwedd canllawiau'r uned, ar gyfer cyflwyno patrymau a chwarae gêm cardiau fflach y tywydd
- Gêm drac - dis i bob pâr a chownter i bob un yn y dosbarth (neu ddefnyddio arian mân gwahanol) ar gyfer y gêm drac

7.1 Cyflwyno patrymau 1. (20 munud)

1. Cyflwyno'r patrymau gan ddefnyddio'r cardiau fflach. Gofyn: 'Sut mae'r tywydd' a chael yr ateb: 'Mae hi'n braf' ac ati.
2. Yna, symud ymlaen i: 'Ydy hi'n braf?' - 'Ydy, mae hi'n braf' cyn dechrau cyflwyno'r brawddegau negyddol: 'Ydy hi'n braf?' 'Nac ydy, dydy/dyw hi ddim yn braf, mae hi'n bwrw glaw.'

7.2 Cardiau fflach y tywydd (5-10 munud)

1. Defnyddio'r cardiau fflach i adolygu'r eirfa. Cuddio'r cardiau a gofyn i'r dosbarth ddyfalu pa gerdyn sydd yn eich wynebu drwy roi **brawddeg** i chi.

Naill ai: Mae hi'n braf heddiw.
Neu: Ydy hi'n braf heddiw?
Rhoi'r cerdyn i'r sawl sy'n dyfalu'n gywir.

2. Ar ôl ychydig, gellir gofyn am frawddeg negyddol: 'Dydy / Dyw hi ddim yn braf heddiw' i gael amrywiaeth.

7.3 Gêm drac y tywydd (10 munud)

Gêm yn y llyfr cwrs i'w chwarae gyda disiau a chownteri/arian mân. Symud o gwmpas y trac a rhoi brawddeg ar ôl glanio: 'Mae hi'n .... heddiw'. Neu, gall y sawl sy'n glanio ar y sgwâr ofyn cwestiwn i'w bartner: 'Ydy hi'n .... heddiw?' a bydd rhaid ateb yn ôl sut mae'r tywydd ar y pryd.

7.4 Dyfalu (5-10 munud)

Lluniau yn y llyfr cwrs - dyfalu pa lun sydd gan bartner mewn golwg drwy holi: 'Ydy hi'n niwlog?' ac ati.

7.5 Cyflwyno patrymau 2. (10 - 15 munud)

Cyflwyno'r patrymau, gan ddefnyddio'r cardiau fflach a chwarae gêm 7.2 eto i adolygu'r patrwm a'r eirfa ar y diwedd.

7.6 Tywydd yr wythnos diwetha - (10 munud)

Ymarfer bwlch gwybodaeth A + B. Ar ôl i'r partneriaid orffen yr ymarfer, dod â'r dosbarth yn ôl at ei gilydd a holi unigolion.

7.7 Cyflwyno patrymau 3. (10 - 15 munud)

Cyflwyno'r patrymau, gan ddefnyddio'r cardiau fflach a chwarae gêm 7.2 eto i adolygu'r patrwm a'r eirfa ar y diwedd.

7.8 Sut bydd y tywydd yfory? (10 munud)

Ymarfer bwlch gwybodaeth eto gyda'r ddau fap, er mwyn ymarfer siarad am y tywydd yn y dyfodol. Eto, dod â'r dosbarth yn ôl at ei gilydd ar y diwedd a holi unigolion.

7.9 Deialog (20 munud)

Dilyn y patrwm arferol wrth gyflwyno / ymarfer / disodli / perfformio'r ddeialog.

Nod: Trafod diddordebau

Pwyntiau gramadegol sy'n codi

- Dyn ni / Dan ni / Dyn ni ddim / Dan ni ddim

Trefn yr Uned

8.1 Cyflwyno patrymau 1.
8.2 Trafod â phartner
8.3 Cyflwyno patrymau 2.
8.4 Dod o hyd i rywun sy'n hoffi ...
8.5 Holiadur
8.6 Cofio gweithgareddau
8.7 Blanceti Blanc
8.8 Deialog

Adnoddau i'w paratoi

- Cardiau fflach gweithgareddau hamdden (lluniau ar ddiwedd canllawiau'r uned)
- Cardiau gyda brawddegau ar gyfer Blanceti Blanc

8.1 Cyflwyno patrymau 1. (20 munud)

1. Cyflwyno'r patrymau gan ddefnyddio'r cardiau fflach - 'Dw i'n hoffi ...' a 'Dyn / Dan ni'n hoffi ...'.
2. Symud ymlaen i holi 'Wyt ti'n hoffi...?' a chael atebion 'Ydw / Nac ydw' ac yna holi dau berson sy'n eistedd ar bwys ei gilydd, 'Dych / Dach chi'n hoffi ...?' (lluosog) a chael atebion 'Ydyn / Nac ydyn'.
3. Drilio'r patrwm negyddol - 'Dw i ddim yn hoffi ....' a 'Dyn / Dan ni ddim yn hoffi ....' ac yna holi aelodau'r dosbarth am eu hoffterau.
4. Gellir chwarae gêm guddio / dyfalu'r cardiau fflach eto gan ofyn am batrwm arbennig, nid dim ond 'chwarae pêl-droed' neu 'coginio'.

8.2 Trafod â phartner (15 munud)

1. Parau i edrych ar luniau'r gweithgareddau yn y llyfr a holi ei gilydd er mwyn llunio rhestr o'r gweithgareddau hynny maen nhw'n eu hoffi ar y cyd.
2. Dod â'r dosbarth yn ôl at ei gilydd a gofyn i barau: 'Beth dych/dach chi a Huw yn hoffi wneud yn eich amser hamdden?' er mwyn cael yr ateb -
'Dyn / Dan ni'n hoffi ......'
3. Newid y cwestiwn i 'Dych / Dach chi'n hoffi ....?' er mwyn ymarfer 'Ydyn / Nac ydyn'. (Pwynt bach yw hwn; ni ddylai dysgwyr boeni gormod yn ei gylch ar hyn o bryd.)

8.3 Cyflwyno patrymau 2. (15 munud)

1. Ar ôl cyflwyno drwy ddril, dechrau holi cwestiynau i unigolion am ddiddordebau aelodau eraill o'r dosbarth.
2. Darparu unrhyw eirfa arbennig sydd ei hangen ar aelodau'r dosbarth er mwyn sôn am eu diddordebau.

8.4 Dod o hyd i rywun sy'n hoffi ... (10 - 15 munud)

1. Rhaid i bawb ddod o hyd i un person a nodi ei enw fel person sy'n hoffi un neu fwy o'r gweithgareddau sydd yn y rhestr yn y llyfr drwy holi 'Dych / Dach chi'n hoffi ....?' Dylid cael enw rhywun wrth bob un o'r gweithgareddau.
2. Dod â'r dosbarth yn ôl at ei gilydd a holi: 'Pwy sy'n hoffi ....?' 'Beth mae John yn hoffi wneud?'

8.5 Holiadur (10 – 15 munud)

1. Pawb i fynd o gwmpas y dosbarth yn holi hyd at 6 pherson am eu diddordebau.
2. Casglu'r wybodaeth wedyn fel dosbarth ar y diwedd.

8.6 Cofio gweithgareddau (5 - 10 munud)

1. Ymarfer dewisol, i'w ddefnyddio'n enwedig os yw'r dosbarth yn cael trafferth cofio'r holl weithgareddau (fel arall, gellid ei adael i unigolion ei wneud fel rhan o'r gwaith cartref).
2. Parau i nodi'r gweithgareddau maen nhw'n eu cofio a nodi'r rhai maen nhw'n eu gwneud gyda / efo rhywun arall a'r rhai maen nhw'n eu gwneud ar eu pennau eu hunain.

8.7 Blanceti Blanc (15 munud)

1. Paratoi 7/8 cerdyn am enwogion cyfredol ac am aelodau'r dosbarth. Ar bob cerdyn bydd brawddeg gyda bwlch ynddi, e.e.:

   Mae Tony Blair yn hoffi ....
   Dyw / Dydy Ryan Giggs ddim yn hoffi ....
   Dyw / Dydy *(enw'r tiwtor)* ddim yn hoffi ....
   Mae *(aelod o'r dosbarth)* yn hoffi ....
2. Pawb yn cael hanner munud i ysgrifennu beth / be' sy'n mynd yn y bwlch, a dewis un dysgwr i ddangos ei ateb e.
3. Y dysgwr yn cael un marc am bob un arall sy'n llenwi'r blwch yn yr un modd.

8.8 Deialog (20 munud)

Dilyn y patrwm arferol wrth gyflwyno / ymarfer / disodli / perfformio'r ddeialog.

Nod: Siarad am eiddo

Pwyntiau gramadegol sy'n codi

- Ateb 'Oes / Nac oes' i gwestiynau sy'n dechrau 'Oes...?'
- Treiglo yn y Gogledd ar ôl y ffurfiau cadarnhaol, e.e. 'Mae gen i ...' ac ati a ffurfiau'r cwestiwn, e.e. 'Oes gen ti.. / Oes gynnoch chi ...?' - e.e. 'Mae gen i frawd.' / 'Oes gen ti gar?'
- **Dim** angen treiglo ar ôl y ffurfiau negyddol – 'Does gen i ddim' ac ati – 'Does gen i ddim car.' 'Does gynnon ni ddim **plant**.'
- Enwau benywaidd yn treiglo'n feddal ar ôl **un**
- Enwau benywaidd a gwrywaidd yn treiglo'n feddal ar ôl **dau / dwy**

Trefn yr Uned

9.1 Cyflwyno patrymau 1.
9.2 Trafod lluniau
9.3 Cyflwyno patrymau 2.
9.4 Trafod y teulu
9.5 Cyflwyno patrymau 3.
9.6 Holi am berthynas neu ffrind
9.7 Holiadur
9.8 Deialog

Adnoddau i'w paratoi

- Cardiau fflach

9.1 Cyflwyno patrymau 1. (15 munud)

1. Cyflwyno'r patrymau gan amrywio rhwng 'ti' a 'chi'. Bydd angen tynnu sylw at y treiglad meddal yn y Gogledd.
2. Symud ymlaen i holi unigolion am y ceir sydd ganddyn nhw a holi cwestiwn fel 'Oes Ferrari / Lotus / Porsche gyda ti?' / 'Oes gen ti Ferrari / Lotus / Porsche?' er mwyn ymarfer yr ateb negyddol, efallai!
3. Dweud wrth bawb am wrando'n astud ar atebion pawb arall gan y byddwch yn defnyddio'r wybodaeth eto.
4. Defnyddio'r cardiau fflach i amrywio'r cyflwyno.

9.2 Trafod lluniau (10 munud)

Parau i weithio drwy'r ddwy dasg yn y llyfr, gan gofio amrywio'r ateb 'gyda fi / gyda ni' neu 'gen i / gynnon ni'. Cofio am y treiglad yn y Gogledd!

9.3 Cyflwyno patrymau 2. (15 munud)

1. Ar ôl cyflwyno drwy ddril, dechrau gofyn cwestiynau i unigolion am eu teulu - brawd / chwaer / mab / merch.
2. Bydd angen egluro'r treiglad meddal i enw benywaidd ar ôl 'un' a'r treiglad medal ar ôl 'dau' a 'dwy' fan hyn.

9.4 Trafod y teulu (15 munud)

1. Mynd dros y cwestiynau y bydd angen eu holi i lenwi'r grid sydd yn y llyfr:
   'Oes brawd gyda ti / chi?' 'Oes gen ti / Oes gynnoch chi frawd?'
   'Oes chwaer gyda ti / chi?' 'Oes gen ti / Oes gynnoch chi chwaer?'
   'Faint o blant sy gyda ti / chi?' 'Faint o blant sy gen ti / gynnoch chi?'
2. Defnyddio'r grid i holi aelodau eraill am eu teulu.

9.5 Cyflwyno patrymau 3. (15-20 munud)

Drilio'r patrwm, ac yna holi aelodau'r dosbarth am geir a theuluoedd ei gilydd. 'Oes Fiesta gyda Huw? / 'Oes gan Huw Fiesta?' 'Faint o blant sy gyda Helen?' / 'Faint o blant sy gan Helen?' ac ati.

9.6 Holi am berthynas neu ffrind (10-15 munud)

1. Mae un golofn o'r grid yn wag i roi cynnig i aelodau'r dosbarth holi cwestiwn o'u dewis eu hunain.
2. Mynd dros y cwestiynau y bydd angen eu holi i lenwi'r grid:
   'Oes brawd / chwaer / ffrind gyda ti/chi?' / 'Oes gen / Oes gynnoch chi frawd / chwaer / ffrind?'
   'Ble mae e / hi'n / Lle mae o'n byw?'
   'Oes car gyda fe/hi?' / 'Oes gynno fo / Oes gynni hi gar?'
   'Oes .... gyda fe / hi?' / 'Oes gynno fo / Oes gynni hi ....?'
3. Holi dau berson am eu brodyr / chwiorydd / ffrind gorau er mwyn ymarfer y patrwm ac yna dod yn ôl i gyflwyno'r wybodaeth i weddill y dosbarth.

9.7 Holiadur byr (10 - 15 munud)

Rhoi tasg wahanol i bob aelod o'r dosbarth ei llenwi ar y grid yn y llyfr, sef darganfod 'Oes ..... gyda chi?' / 'Oes gynnoch chi ....?' drwy holi'r dosbarth, e.e.

ffôn symudol	cyfeiriad e-bost
carafán	chwaer
ci	brawd
car newydd	llawer o amser sbâr
cyfrifiadur	dau deledu
llyfr Cymraeg	cath
llawer o arian	amser i ddarllen
pen tost	

neu unrhyw beth arall yr hoffen nhw ei holi.

9.8 Deialog (20 munud)

Dilyn y patrwm arferol wrth gyflwyno / ymarfer / disodli / perfformio'r ddeialog.

Nod: Adolygu / Ymestyn

Pwyntiau gramadegol sy'n codi

- Treiglad meddal ar ôl **rhy**, **digon o**, **gormod o**

Trefn yr Uned

10.1 Adolygu patrymau 1.
10.2 Trafod lluniau
10.3 Adolygu patrymau 2.
10.4 Holiadur
10.5 Adolygu patrymau 3.
10.6 Trafod lluniau
10.7 Cyflwyno patrymau 4.
10.8 Darllen yn uchel
10.9 Pam? Does dim ...
10.10 Ateb Ie / Nage / Ia / Naci
10.11 Cyflwyno patrymau 5.
10.12 Deialog ar dâp
10.13 Cyflwyno'r Rhestr gyfair

Adnoddau i'w paratoi

- Cardiau fflach o'r lluniau sydd ar ddiwedd y canllawiau
- CD/Tâp y ddeialog

10.1 Cyflwyno patrymau 1. (5 munud)

Paratoi'r dosbarth ar gyfer y gweithgaredd sy'n dilyn yn unig sydd ei angen, ond efallai y bydd angen mwy o ddrilio ar ambell grŵp.

10.2 Trafod lluniau (10 munud)

Defnyddio'r patrymau i holi ac ateb gan ddefnyddio'r lluniau i'w hatgoffa o wahanol weithgareddau. Dod â phawb yn ôl at ei gilydd a holi'r partneriaid am ei gilydd er mwyn ymarfer y 3ydd person.

10.3 Cyflwyno patrymau 2. (5-10 munud)

Gan fod elfennau newydd yma - digon o / gormod o - bydd angen drilio'r patrwm a thynnu sylw at y treiglad meddal ar ôl 'o'.

10.4 Holiadur (10 munud)

1. Ymarfer i gadarnhau'r patrymau sy'n cael eu hadolygu. Mynd dros y cwestiynau ymlaen llaw.
2. Mynd dros yr atebion fel dosbarth.

10.5 Adolygu patrymau 3. (5 munud)

Ymarfer y patrymau gyda'r dosbarth, i'w paratoi ar gyfer trafod y lluniau. Eu hatgoffa am y treigladau ar ôl 'un', 'dau' a 'dwy' ac am ffurfiau benywaidd y rhifolion.

10.6 Trafod y lluniau (10 munud)

Ymarfer fel dosbarth gyda'r cardiau fflach ac yna'n barau gyda'r un lluniau yn y llyfr, gan ddefnyddio'r patrymau 'Faint o blant sy gyda chi / gynnoch chi?', 'Mae dau fab ac un ferch gyda ni', 'Mae gynnon ni dair hogan a dau hogyn' ac ati.

10.7 Cyflwyno patrymau 4. (10 munud)

Bydd angen cyfeirio at y treiglad meddal ar ôl 'rhy'.

10.8 Darllen yn uchel (10 munud)

1. Y tiwtor i ddarllen y darn yn uchel a phawb yn ailadrodd pob brawddeg ar ei (h)ôl yn uchel.
2. Pawb yn cael ychydig funudau i ddarllen y darn yn dawel ar eu pennau eu hunain a chyfle i holi'r tiwtor am unrhyw eiriau y maent yn ansicr ynghylch eu hynganu. Nid oes angen manylu ar ystyr geiriau unigol anghyfarwydd.
3. Rhannu'r dosbarth yn drioedd a phob un yn y grŵp yn cymryd brawddeg ar y tro i'w darllen yn uchel.
4. Mynd o gwmpas i gywiro'r ynganu ac ati. Dod â phawb yn ôl at ei gilydd a gofyn i unigolion (heb fod mewn unrhyw drefn benodol) ddarllen brawddeg ar y tro.
5. Annog pawb i ymarfer y darn gartre, o flaen drych!

10.9 Pam? Does dim... (E. H.) (10+ munud)

1. Mynd dros y cwestiynau i wneud yn siŵr fod pawb yn eu deall.
2. Rhannu'r dosbarth yn barau i feddwl am atebion sy'n dechrau â 'Does dim ...' i bob cwestiwn.
3. Eu hatgoffa bod modd defnyddio 'Does dim .... gyda fi/ni' / 'Does gen i / Does gynnon ni ddim ...' a hefyd 'Does dim digon/gormod o .... gyda fi/ni' / 'Does gen i / Does gynnon ni ddim digon / gormod o ...'.
4. Dod â phawb yn ôl at ei gilydd i weld pa atebion sydd gan bawb a pha mor debyg ydyn nhw, gan roi marciau i barau sydd ag ateb gwahanol i bawb arall.

10.10 Ateb Ie / Nage / Ia / Naci (neu Oes, Ydw, Nac ydyn ac ati!) (10+ munud)

1. Ymarfer yn y llyfr cwrs - gall parau ei ddefnyddio ac yna adrodd yn ôl, neu os yw aelodau'r dosbarth yn ymddangos yn ansicr iawn, gellid ei wneud fel ymarfer dosbarth a ffordd o adolygu ychydig ar y bwrdd du/gwyn yr un pryd.
2. Gellir gofyn rhai cwestiynau ar lafar wedyn (gan fod ymarfer pellach yn y pecyn ymarfer), er enghraifft:

   Ydy hi'n rhy dwym?
   Edward Pugh dych / dach chi?
   Oedd hi'n bwrw glaw ddoe?
   Wyt ti'n hoffi chwarae golff?
   Oes plant gyda chi? / Oes gynnoch chi blant?

10.11 Cyflwyno patrymau 5. (y rhifau o 10-100) (10 munud)

1. Tynnu sylw at y patrwm amlwg.
2. Ysgrifennu rhifau fel 23, 51, 69, 78, 34 etc. ar y bwrdd a chael y dosbarth i roi cynnig arnynt.
3. Ymarfer tebyg yn barau gyda chyfres newydd o rifau.
4. Pawb yn ôl at ei gilydd a holi unigolion.

10.12 Deialog ar dâp/CD (15 munud)

1. Mynd dros y tasgau sydd i'w cwblhau yn y llyfr cwrs wrth wrando ar y tâp, gan bwysleisio na fyddan nhw'n deall popeth.
2. Mae tair deialog ar y tâp: gellir eu chwarae ddwywaith yn unigol ac yna chwarae'r tâp drwyddo. Y peth pwysicaf yw bod y dosbarth yn magu hyder, nid cadw at unrhyw drefn arbennig.

10.13 Cyflwyno'r Rhestr gyfair (5 munud)

Mynd dros y rhestr yn gyflym i wneud yn siŵr bod pawb yn ei deall, a'u hannog i'w llenwi gartre (ac adolygu'r darnau hynny sy'n peri problemau iddyn nhw!)

Sgript y Ddeialog:

Deialog 1

A: Helo Marged, mae hi'n braf heddiw, on'd yw hi/tydy?

B: Ydy wir, Heulwen, mae'n braf iawn. Ble / Lle wyt ti'n mynd prynhawn 'ma?

A: O, dw i'n mynd i'r pwll nofio. Dw i wrth fy modd yn nofio. Beth / Be' amdanat ti, Marged?

B: Wel, dw i'n mynd i'r ysbyty i weld ffrind. Dyw / Dydy hi ddim yn dda iawn.

A: O, mae'n ddrwg gyda fi / gen i.

Deialog

A = dyn, B = menyw/dynes

A: Wel, helo, ers tro byd. Sut wyt ti erbyn hyn?

B: Da iawn, diolch. Beth / Be' wyt ti'n wneud nawr / rŵan, Huw?

A: Wel, dw i'n byw yng Nghaerfyrddin ac yn gweithio fel plismon.

B: Oes plant gyda ti / Oes gen ti blant?

A: Oes, dau o blant, un ferch / hogan ac un mab/hogyn. Beth / Be' amdanat ti?

B: Wel, mae tri o blant gyda fi / mae gen i dri o blant, dau fab / hogyn ac un ferch / hogan!

Deilog 3

A: Sut mae Gareth a Gwenda?

B: Yn dda iawn. Mae car newydd gyda nhw / Mae gynnyn nhw gar newydd.

A: Car newydd? Neis iawn.

B: Wel, mae pedwar o blant gyda nhw / Mae gynnyn nhw bedwar o blant, ac mae digon o le yn y car newydd. Oes car newydd gyda ti / Oes gen ti gar newydd, Robert?

A: Does dim digon o arian gyda fi / Does gen i ddim digon o arian i gael car newydd, yn anffodus.

3

Nod: Siarad am deulu ac eiddo

Pwyntiau gramadegol sy'n codi

- Treiglad Trwynol ar ôl **fy**
- Treiglad Meddal ar ôl **dy**
- Dim treiglad ar ôl **eich**

Trefn yr Uned

11.1 Cyflwyno patrymau 1.
11.2 Pwy yw e / hi? Pwy ydy o / hi?
11.3 Cyflwyno patrymau 2.
11.4 Holiadur enwau
11.5 Pwy dw i?
11.6 Cyflwyno patrymau 3.
11.7 Holi partner
11.8 Deialog

Adnoddau i'w paratoi

- Cardiau fflach o'r cartwnau sydd ar ddiwedd yr Uned
- (Dewisol) Geiriau ychwanegol ar gardiau fflach i'w treiglo: e.e. car, pensil, tŷ, gardd, bag, plant, beiro, teulu, desg, beic
- Cardiau fflach eto - mab, merch, llaw, rhaw, llyfr

11.1 Cyflwyno patrymau 1. (10 munud)

1. Mae'r eirfa'n gyfarwydd, ond bydd angen sefydlu'r treiglad - ac o bosib mynd drosto ar y bwrdd du / gwyn. (Mae'r Treiglad Trwynol eisoes wedi ei gyflwyno ar ôl **yn**.)
2. Defnyddio'r cardiau fflach i ymarfer y treiglad.

11.2 Pwy yw e/hi?/ Pwy ydy o/hi? (10 munud)

1. Partneriaid i holi ei gilydd i ddarganfod pwy yw pwy yn y lluniau. Mae'r patrwm yn y gwerslyfr.
2. Y tiwtor i ofyn yr un cwestiwn i unigolion gan ddefnyddio cardiau fflach wedi eu gwneud o'r cartwnau.

11.3 Cyflwyno patrymau 2. (15 munud)

Ar ôl drilio'r patrymau fel y maen nhw yn y llyfr, dechrau newid yr eirfa ac wrth i hyder y dosbarth gynyddu, dechrau gofyn cwestiynau 'naturiol' i unigolion.

11.4 Holiadur enwau (10-15 munud)

1. Mynd dros y cwestiynau ymlaen llaw (maen nhw yn y gwerslyfr).
2. Gan nad yw 'ei......e / o' ac 'ei........ hi' wedi eu cyflwyno eto, bydd yn rhaid osgoi holi am wybodaeth oddi wrth unigolion am eu partner ar hyn o bryd a chadw at y patrymau sydd yn y gwerslyfr.

11.5 Pwy dw i? (15 munud)

1. Parau i feddwl am frawddegau tebyg i'r rhai sydd yn y gwerslyfr. Os meddylir am bersonau sydd wedi marw bydd yn rhaid defnyddio 'oedd'.
2. Cynnal cystadleuaeth fach - pob pâr yn erbyn ei gilydd. Pob pâr i adrodd ei gliwiau fesul un a phob pâr arall am y cyntaf i weiddi'r ateb.
3. Rhoi 15 marc am gael yr ateb ar ôl y cliw cyntaf, 10 marc ar ôl yr ail gliw a 5 marc ar ôl y trydydd cliw (os oes trydydd cliw). Tynnu marciau, wrth gwrs, os yw pobl yn gweiddi'r ateb anghywir.

11.6 Cyflwyno patrymau 3. (15 munud)

1. Gellir ymarfer y treiglad meddal yn unig gan ddefnyddio cardiau cyn cyflwyno'r brawddegau.
2. Eto, symud o'r drilio i'r holi a'r ateb go iawn ar ôl ychydig.

11.7 Holi partner (5-10 munud)

Defnyddio'r grid i holi partneriaid. Mae'r cwestiynau yno'n llawn er mwyn atgyfnerthu'r patrwm.

11.8 Deialog (20 munud)

Dilyn y patrwm arferol wrth gyflwyno / ymarfer / disodli / perfformio'r ddeialog.
Os yw aelodau'r dosbarth yn nabod ffrindiau / doctor / teuluoedd ei gilydd, gellid holi'n sydyn 'Dych / Dach chi'n nabod brawd ....?' ac ati.

Nod: Siarad am deulu ac eiddo

Pwyntiau gramadegol sy'n codi

- Treiglad Llaes ar ôl **ei** benywaidd
- Treiglad Meddal ar ôl **ei** gwrywaidd
- **h** cyn llafariaid ar ôl **ei** benywaidd
- Oedran yn fenywaidd: dwy, tair, pedair oed

Trefn yr Uned

12.1 Cyflwyno patrymau 1.
12.2 Wyt ti'n nabod?
12.3 Cyflwyno patrymau 2.
12.4 Ble / Lle mae ei.....?
12.5 Holi am ffrind
12.6 Deialog

Adnoddau i'w paratoi

- (Dewisol) Geiriau ar gardiau fflach i'w treiglo (yr un rhai ag Uned 11), e.e. car, pensil, tŷ, gardd, bag, plant, beiro, teulu, desg, beic, mab, merch, llaw, llyfr

12.1 Cyflwyno patrymau 1. (15-20 munud)

1. Mae'r eirfa'n gyfarwydd, ond bydd angen sefydlu'r treigladau - a mynd drostynt efallai ar y bwrdd du. Defnyddio'r cardiau fflach i ymarfer y treiglad gydag **ei** gwrywaidd ac yna **ei** benywaidd.
2. Gan ddefnyddio'r wybodaeth a gasglwyd yn yr **Holiadur Enwau** yn Uned 11, gellir defnyddio'r patrymau newydd i holi unigolion am enwau aelodau teuluoedd ei gilydd.

12.2 Wyt ti'n nabod? (25 munud)

1. Mynd dros y goeden achau a phenderfynu fel dosbarth pa berthynas yw pawb i Siôn.
2. Parau i drafod pa 5 person maen nhw'n eu hadnabod yr un o deulu Siôn a gofyn cwestiynau i'w gilydd amdanyn nhw gan adolygu patrymau'r unedau blaenorol yn ogystal.

   Beth yw enw ei fam e / Be' ydy enw ei fam o?'
   'Ble / Lle mae ei frawd e'n / o'n gweithio?'
   'Pwy yw/ydy ei yncl e / o?'

'Oes diddordebau gyda fe / hi / Oes gynno fo/Oes gynni hi ddiddordebau?'
'Beth yw / Be' ydy enw ei chi hi?' (Ci merch Siôn!)

3. Trafod ambell aelod o deulu Siôn fel dosbarth a chymharu eu bywydau.

12.3 Cyflwyno patrymau 2. (20 munud)

1. Gosod rhai eitemau fel bag, pensel, allweddi ac ati mewn mannau amlwg yn yr ystafell i gyflwyno: **ar, o dan, wrth, yn** cyn dechrau drilio'r patrymau 'ar y ford/o dan y gadair / wrth y drws/yn y bag/yn ei boced e / yn ei phoced hi.'
2. Y drilio'n raddol yn cyflwyno'r cwestiynau 'Ble mae / Lle mae ei got e/ei phwrs hi?' ac ati ac yn arwain at yr un ymadroddion fel atebion.

12.4 Ble/Lle mae ei .....e/o? (10-15 munud)

Tasg siarad yw hon. Mynd dros unrhyw eirfa newydd sydd ei hangen i drafod y lluniau yn y gwerslyfr. Yna gofyn i barau edrych ar y ffotograffau gan ofyn y cwestiynau a'u hateb. Gellir newid y patrwm i ddisgrifio eiddo merch wedyn. Gyda dosbarth arbennig o dda, gellir gofyn iddynt fod yn fwy penodol yn yr ateb, e.e. 'Yn ei fag e / o', 'Yn ei char hi', ac ati.

12.5 Holi am ffrind (20 munud)

1. Mynd dros y tabl i wneud yn siŵr fod pawb yn glir pa gwestiynau sydd i'w gofyn, yn dibynnu ai gwrywaidd neu fenywaidd yw'r ffrind dan sylw.
   e.e. 'Beth yw mêc ei gar e / ei char hi? / Be' ydy mêc ei gar o / ei char hi?'
2. Yn ddelfrydol, dylai un partner fod â ffrind benywaidd a'r llall â ffrind gwrywaidd er mwyn ymarfer y treigladau i gyd.

12.6 Deialog (20 munud)

Dilyn y patrwm arferol wrth gyflwyno / ymarfer / disodli / perfformio'r ddeialog.

Nod: Trafod yr amser

Pwyntiau gramadegol sy'n codi

- Defnyddio rhifau traddodiadol wrth ddweud yr amser
- Treiglad Meddal ar ôl **am / i**
- Maen **nhw**

Trefn yr Uned

13.1 Cyflwyno patrymau 1.
13.2 Dweud yr amser gyda phartner
13.3 Cyflwyno patrymau 2.
13.4 Grid cwestiynau
13.5 Diwrnod Delyth
13.6 Diwrnod Sêr Enwog
13.7 Deialog

Adnoddau i'w paratoi

- Amseroedd ar ffurf ddigidol ar gardiau fflach er mwyn drilio'r amser: yn **13.1** – o'r gloch, hanner + chwarter i / wedi; yn **13.3** - pum /deg munud i / wedi; ugain munud i / wedi; pum munud ar hugain i / wedi

13.1 Cyflwyno patrymau 1. (15-20 munud)

Drilio'r patrwm fel y mae ac yna defnyddio'r cardiau fflach i atgyfnerthu.

13.2 Dweud yr amser gyda phartner (15 munud)

1. Parau i holi ac ateb ei gilydd; Partner A i holi'r cwestiynau ar gyfer 1, 3, 5, 7, etc. y tro cyntaf, a Phartner B i ateb, a chyfnewid yr ail dro, fel bod pawb yn ateb cwestiwn gwahanol.
2. Dod â'r dosbarth yn ôl at ei gilydd a holi ambell unigolyn hefyd.

13.3 Cyflwyno patrymau 2. (20 munud)

Cyflwyno'r patrymau sydd yn y gwerslyfr a defnyddio'r cardiau fflach i atgyfnerthu'r amserau newydd sy'n codi.

13.4 Grid cwestiynau - Am faint o'r gloch / Pryd wyt ti'n ....? (20 munud)

1. Pob unigolyn i lenwi gwybodaeth amdano/amdani ei hun - ar ffurf amser digidol, nid y cymal Cymraeg.
2. Holi dau berson arall a llenwi'r colofnau. Dylai pawb roi ateb llawn - h.y.'Dw i'n dod adre am chwarter i chwech.'
3. Dod â'r dosbarth yn ôl at ei gilydd a holi unigolion am arferion dyddiol eraill.

13.5 Diwrnod Delyth (10 munud)

Ymarfer bwlch gwybodaeth - Partner A a B. Mae'r cwestiwn a'r ateb sydd i'w defnyddio yn y gwerslyfr yn barod. Partner A - tud. 76 a Partner B - tud. 78.

13.6 Diwrnod Sêr Enwog (15 - 20 munud)

1. Er mwyn ymarfer 'Maen nhw ...'. Pob pâr i feddwl am bâr enwog, yn dibynnu ar enwogion y dydd / cymeriadau operâu sebon etc.
2. Parau i lunio diwrnod arferol iddyn nhw - gellid gosod penawdau fel 'codi / cael brecwast / darllen y papur' ac ati ar y bwrdd du / gwyn ond gall fod gan barau syniadau gwreiddiol eu hunain yn dibynnu ar yr enwogion sydd o dan sylw, e.e. mynd i'r gym / gampfa / canu.
3. Adrodd yn ôl am y diwrnod, e.e. 'Maen nhw'n codi am ddeuddeg o'r gloch ... ' ac ati.

13.7 Deialog (15 munud)

Mae llai o waith disodli ar y ddeialog hon, ond mae yma nifer o ymadroddion newydd. Gellir hepgor perfformio'r ddeialog oni bai bod parau wedi meddwl am leoliadau ac amseroedd hynod wreiddiol.

Nod: **Trafod y gorffennol**

(Person 1af unigol *mynd, dod, cael,* cadarnhaol a negyddol + cwestiynau yn yr ail berson unigol a'r ail berson lluosog)

Pwyntiau gramadegol sy'n codi

- Amser gorffennol *mynd, dod a cael* - 1af unigol, a'r ail unigol a lluosog
- Do / Naddo yn ateb cwestiwn lle mae'r ferf yn y gorffennol
- Treiglad Meddal i'r ferf mewn cwestiwn – *gest ti, ddaethoch chi?*
- Mewn gosodiadau negyddol, treiglad meddal i *des i* > *ddes i ddim*
- Ffurfiau gorffennol *cael* – yn y cwrs hwn, mae *cael* yn eithriad – *ges i / mi ges i, gaethoch chi?, ges i ddim* a ddefnyddir, ond efallai y bydd y dysgwyr yn gweld *ces i, ches i ddim* weithiau.

Mae'r uned hon yn cynnwys nifer o gymhlethdodau gramadegol – y treigladau ar ddechrau cwestiynau a brawddegau negyddol yn arbennig. Ond bydd uned adolygu'n dilyn hon yn union a bydd modd atgyfnerthu'n syth cyn symud ymlaen at ffurfiau rheolaidd y gorffennol a ffurfiau'r 3ydd person – a'r un rheolau fydd yn effeithio ar y rheiny.

Trefn yr Uned

14.1 Cyflwyno patrymau 1.
14.2 Ble/Lle est ti? Ble / Lle aethoch chi?
14.3 Cyflwyno patrymau 2.
14.4 Gêm drac
14.5 Cyflwyno patrymau 3.
14.6 Sut dest / ddest ti i'r dosbarth?
14.7 Sut est ti?
14.8 Deialog

Adnoddau i'w paratoi

- Gêm drac - cownteri / arian mân a disiau
- Cardiau fflach - bwyd

14.1 Cyflwyno patrymau 1. (15 munud)

Mae'r eirfa'n gyfarwydd a does dim treigladau'n digwydd i'r ferf hon!

14.2 Ble / Lle est ti? Ble / Lle aethoch chi? (15 munud)

1. Parau i holi ac ateb ei gilydd i ddod o hyd i'r wybodaeth.
2. Dod â'r dosbarth yn ôl at ei gilydd a holi ambell unigolyn hefyd.
3. Symud ymlaen i ofyn 'Est i i ...?', 'Aethoch chi i ...?' fel dosbarth a chael yr atebion 'Do, (mi) es i i ....' a 'Naddo, es i ddim i .....; (mi) es i i .....' Mae'r patrymau yn y gwerslyfr. Gellir ymarfer yr un patrymau yn barau wedyn.

14.3 Cyflwyno patrymau 2. (20+ munud)

Cyflwyno'r patrwm, gan gynnwys y treiglad meddal, ac yna defnyddio'r cardiau fflach bwyd i ateb cwestiynau fel 'Beth gest ti i frecwast heddiw?' 'Beth gaethoch chi i ginio ddoe?' ac ymarfer 'Ges i / Mi ges i dost i frecwast', 'Ges / mi ges i frechdan i ginio' ac yn y blaen.

14.4 Gêm Drac (15 munud)

1. Atgyfnerthu'r gystrawen 'Beth gest ti i fwyta / yfed?' a mynd dros yr ateb 'Ges i / Mi ges i win' a geirfa'r gêm drac cyn i'r dosbarth ei chwarae fesul pâr.
2. Parau i chwarae ddwywaith. Y tro cyntaf, y partner nad yw'n taflu'r dis i holi: 'Beth gest ti i fwyta?' a'r partner sy'n taflu'r dis ac yn glanio ar y sgwâr gwin yn ateb: 'Ges i/Mi ges i win' ac yn y blaen.
3. Cyfeirio at y treiglad meddal yn y cwestiwn. Chwarae'r gêm eto. Y tro yma, y partner nad yw'n taflu'r dis i holi: 'Gest ti win?' a'r partner sydd wedi glanio ar y sgwâr yn ateb: 'Do, ges i win / Naddo, ges i ddim gwin'.

14.5 Cyflwyno patrymau 3. (20 munud)

Cyflwyno'r patrymau a symud ymlaen i ddefnyddio'r lluniau yn y gwerslyfr fel rhan o'r drilio ac i gyflwyno'r eirfa. Cyfeirio eto at y ffaith fod y ferf yn treiglo'n feddal mewn cwestiwn.

14.6 Sut dest / ddest ti i'r dosbarth? (10-15 munud)

Ymarfer y cwestiynau a'r atebion yn y gwerslyfr yn barau. Trafod syml i ddechrau, ac yna dyfalu. Atgyfnerthu'r treiglad yn y negyddol wrth fynd o gwmpas i wrando – 'Naddo, ddes i ddim mewn awyren' ac yn y blaen.

14.7 Sut est ti? (5 munud)

Gellir gofyn i barau wedyn fynd yn ôl at grid yr ymarfer 'Ble est ti?' blaenorol a defnyddio'r cwestiwn 'Sut est ti?' i holi am y gweithgareddau, a chael yr atebion 'Es i mewn car' ac yn y blaen.

14.8 Deialog (20 munud)

Dilyn y patrwm arferol wrth gyflwyno / ymarfer / disodli / perfformio'r ddeialog.

Atgoffa'r dysgwyr i ddod â LLUN(IAU) O'U TEULU/FFRINDIAU a LLUN(IAU) O UNRHYW WYLIAU gyda / efo nhw ar gyfer gweithgareddau adolygu'r uned nesaf.

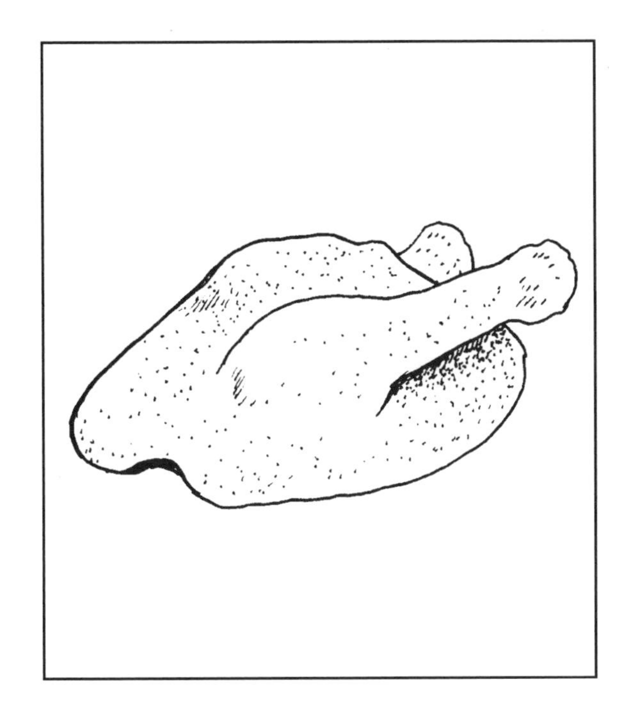

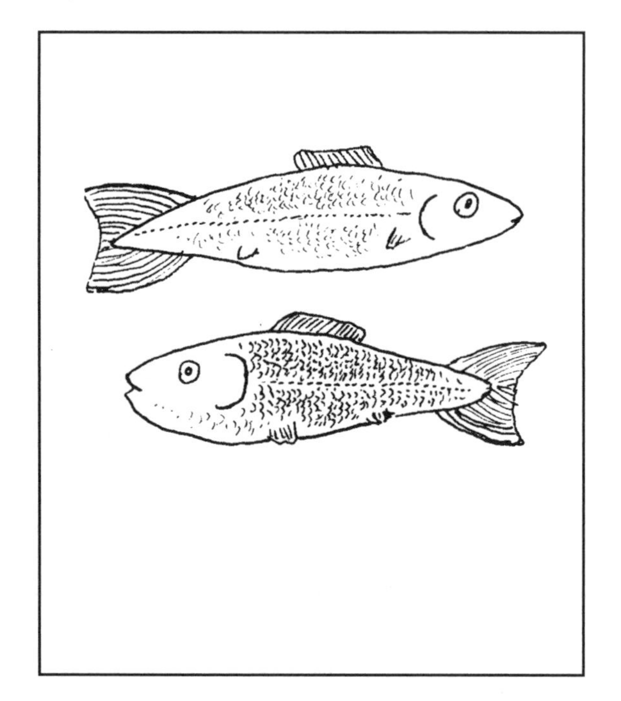

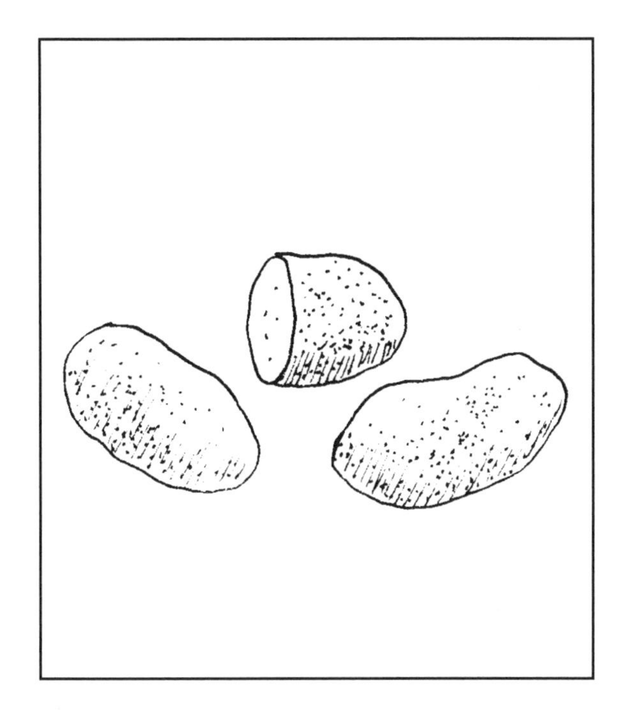

Nod: Adolygu ac Ymestyn

Trefn yr Uned

15.1	Adolygu patrymau 1. (uchaf) a Thrafod lluniau
15.2	Adolygu patrymau 1. (isaf) a Gêm Pelmanism
15.3	Adolygu patrymau 2. a Holiadur Amser
15.4	Plismon Puw
15.5	Darllen yn uchel
15.6	Adolygu patrymau 3.
15.7	Holiadur gwyliau + Trafod lluniau
15.8	Gwrando
15.9	Cyflwyno'r rhestr gyfair

Adnoddau i'w paratoi

- Ffotograffau o deulu / ffrindiau'r tiwtor i ddechrau'r gweithgaredd
- Set o gardiau Pelmanism i bob pâr neu grŵp o dri yn y dosbarth
- Ffotograffau o'r tiwtor ar wyliau (dewisol)
- Y CD / tâp yn barod i'w chwarae

Cynllun Achredu Rhwydwaith y Coleg Agored

- **Holiadur Amser** - mae hwn yn ateb gofynion 'Siarad - Amser ac Arian'.
- **Holiadur Gwyliau** - mae hwn yn ateb gofynion 'Siarad - Digwyddiadau yn y Gorffennol'.

15.1 Adolygu patrymau 1. (uchaf) a Thrafod lluniau (20 munud)

1. Mater o adolygu'n sydyn ac ar ôl y set gyntaf (Pwy yw / ydy e /o / hi? a'r atebion), gwneud y dasg sydd o dan y bocs.
2. Gall parau symud at barau eraill a dweud pwy yw pwy ar ffotograffau eu partneriaid hefyd (h.y. 'Chwaer Carol yw hi ... ei thad hi yw e/o') - yn hytrach na chyflwyno eu teuluoedd/ffrindiau eu hunain yn unig.

15.2 Adolygu patrymau 1. (isaf) a Gêm Pelmanism (15+ munud)

1. Adolygu'r patrwm a symud ymlaen i chwarae'r gêm Pelmanism.
2. Cymysgu'r cardiau a'u rhoi ben i waered mewn llinellau ar y bwrdd.
3. Troi dau gerdyn drosodd a'u darllen yn uchel. Os ydynt yn creu pâr, eu cadw, e.e. Jane + Tarzan yw enw fy nghariad i.
4. Parhau i chwilio a chofio nes dod o hyd i'r parau i gyd.

15.3 Adolygu patrymau 2. a Holiadur Amser (15 munud)

Adolygu'r patrymau ac yna mynd dros y cwestiynau yn yr holiadur.

15.4. Plismon Puw (5 munud i baratoi + 10 munud o holi)

1. Mae'r dasg wedi'i hegluro yn y llyfr cwrs. Bydd angen mynd dros y lluniau i adolygu'r eirfa.
2. Parau i baratoi (bydd atebion gwahanol gan bob partner, dim ond y 1af unigol!) - llenwi'r grid a holi ei gilydd er mwyn paratoi ar gyfer cwestiynau'r plismon, sef y tiwtor.
3. Y tiwtor i holi unigolion gan ychwanegu'r cwestiynau ar waelod y tudalen yn y gwerslyfr yn ogystal.
4. O hyn ymlaen bydd modd defnyddio'r patrymau yma yn gyson ym mhob gwers, i holi'r dysgwyr yn naturiol ble aethon nhw y penwythnos diwethaf, beth wnaethon nhw ddoe, ac yn y blaen.

15.5 Darllen yn uchel (10+ munud)

1. Y tiwtor i ddarllen y darn yn uchel a phawb yn ailadrodd pob brawddeg ar ei (h)ôl yn uchel.
2. Pawb yn cael ychydig funudau i ddarllen y darn yn dawel ar eu pennau eu hunain a chyfle i holi'r tiwtor am unrhyw eiriau maen nhw'n ansicr ynghylch eu hynganu. Nid oes angen manylu ar ystyr geiriau unigol anghyfarwydd.
3. Rhannu'r dosbarth yn drioedd a phob un yn y grŵp yn cymryd brawddeg ar y tro i'w darllen yn uchel.
4. Mynd o gwmpas i gywiro'r ynganu ac ati. Dod â phawb yn ôl at ei gilydd a holi unigolion (heb fod mewn unrhyw drefn benodol) i ddarllen brawddeg ar y tro.
5. Annog pawb i ymarfer y darn gartre, gyda'r ci, y gath, neu'r pysgodyn aur.

15.6 Adolygu patrymau 3. (15 munud)

Adolygu'r patrymau - mae ychydig o eirfa newydd yma hefyd, a pharatoi'r dosbarth ar gyfer yr holiadur sy'n dilyn.

15.7 Holiadur Gwyliau + Trafod lluniau (20-25 munud)

1. Pawb i fynd o gwmpas i holi eraill (hyd at 5) am eu gwyliau, gan ddefnyddio'r lluniau fel sbardun gweledol.
2. Holi ambell unigolyn ac yna gofyn i bawb gadw'r wybodaeth gan y bydd yn rhaid sôn am wyliau rhywun arall cyn hir!

15.8 Gwrando (20 munud)

1. Mynd dros y tasgau sydd i'w cwblhau yn y llyfr cwrs wrth wrando ar y tâp / CD, gan bwysleisio na fyddan nhw'n deall popeth.
2. Mae dwy ddeialog: gellir eu chwarae ddwywaith yn unigol ac yna chwarae'r cyfan eto. Y peth pwysicaf yw bod y dosbarth yn magu hyder, nid cadw at unrhyw drefn arbennig.

15.9 Cyflwyno'r Rhestr gyfair (5 munud)

Mynd dros y rhestr yn gyflym i wneud yn siŵr bod pawb yn ei deall, a'u hannog i'w llenwi gartre (ac adolygu'r darnau hynny sy'n peri problemau iddyn nhw!)

Ateb i'r Chwilair yn y Pecyn Ymarfer:

MISOEDD Y FLWYDDYN

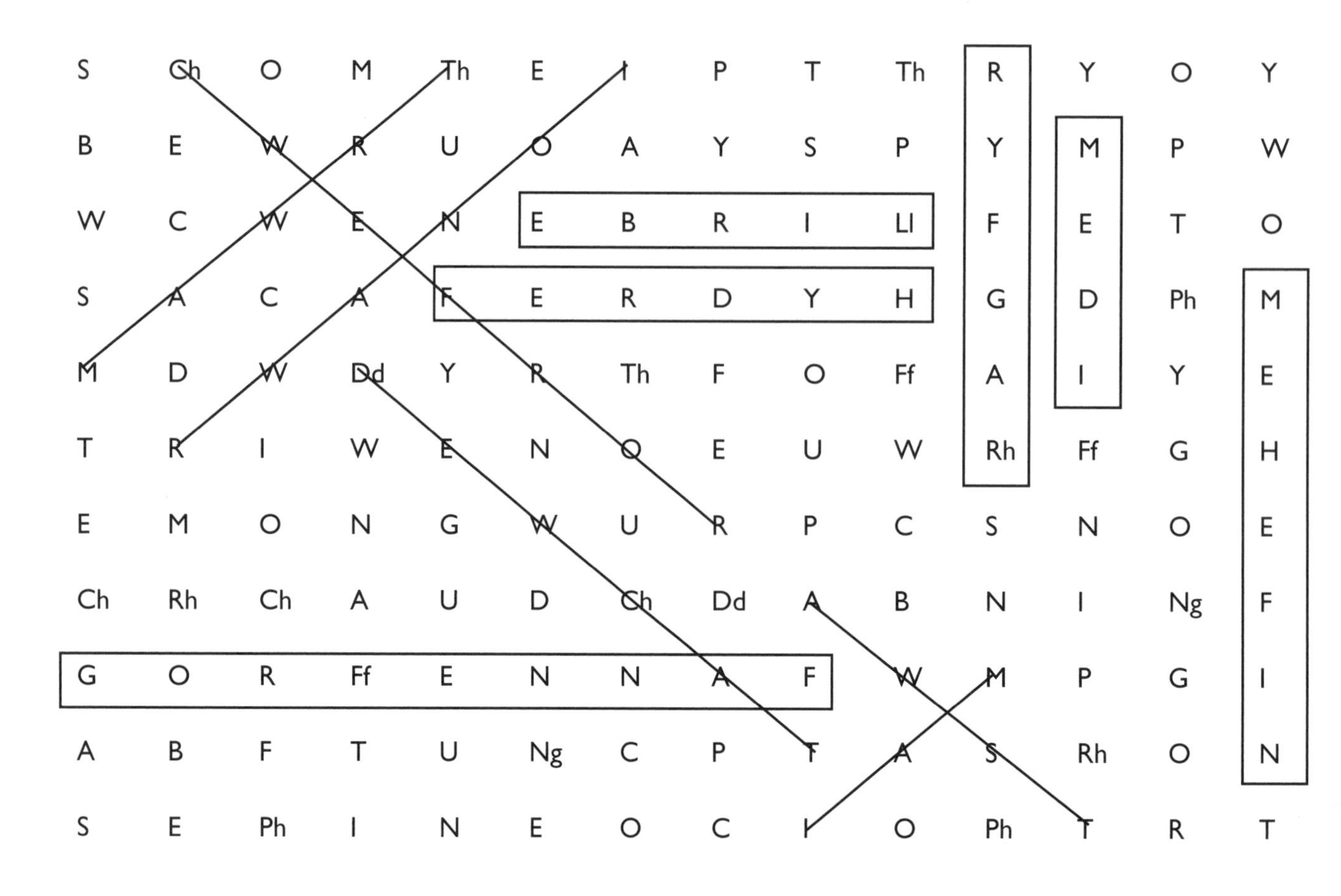

15.2 - Gêm Pelmanism - Set o gardiau i bob pâr / grŵp o dri yn y dosbarth

Set y De

Jane	**Tarzan yw enw fy ngharaid i**
Scott Tracy *(Thunderbirds)*	**Brains yw enw ei frawd e**
Fred Flintstone	**Wilma yw enw ei wraig e**
Elizabeth Taylor	**Richard oedd enw ei gŵr hi. (ddwywaith! - twice!)**

Elizabeth Bennett neu Bridget Jones	**Mr Darcy oedd enw fy nghariad i**
Yr Arolygydd Morse	**Jaguar oedd mêc fy nghar i**
Malcolm Campbell	**Bluebird oedd enw ei gar e**
John Toshack	**Abertawe oedd enw ei dîm pêl-droed e**

Jane	**Tarzan ydy enw fy ngharaid i**
Scott Tracy *(Thunderbirds)*	**Brains ydy enw ei frawd o**
Fred Flintstone	**Wilma ydy enw ei wraig o**
Elizabeth Taylor	**Richard oedd enw ei gŵr hi. (ddwywaith! - twice!)**

Elizabeth Bennett neu Bridget Jones	Mr Darcy oedd enw fy nghariad i
Yr Arolygydd Morse	Jaguar oedd mêc fy nghar i
Malcolm Campbell	Bluebird oedd enw ei gar o
John Toshack	Abertawe oedd enw ei dîm pêl-droed o

15.8 Sgript yr ymarfer Gwrando

Fersiwn y De

Deialog 1 - yn y swyddfa

Caryl: Wyt ti'n gallu dod i'r cyfarfod dydd Iau?

Huw: Y cyfarfod dydd Iau? Faint o'r gloch mae e?

Caryl: Am hanner awr wedi dau, dw i'n credu.

Huw: Dw i'n dod i'r cyfarfod ond dw i'n mynd i Gaerdydd wedyn.

Caryl: Pam wyt ti'n mynd i Gaerdydd?

Huw: I weld fy chwaer a'i theulu.

Deialog 2 - ar y ffôn

Esyllt: Helo, Dafydd, sut wyt ti?

Dafydd: Ardderchog, diolch, Esyllt. Des i nôl o 'ngwyliau neithiwr.

Esyllt: O, dyna neis. Ble est ti ar dy wyliau?

Dafydd: I Sbaen.

Esyllt: Est ti ar dy ben dy hunan?

Dafydd: Naddo, es i gyda Aled fy mrawd a ffrind i fi, Marc.

Esyllt: Sut est ti, 'te - mewn bws?

Dafydd: Nage, mewn awyren, o Birmingham.

Esyllt: I ble est ti yn Sbaen?

Dafydd: Es i i Granada a Seville.

Esyllt: Beth gest ti i fwyta?

Dafydd: Ges i lawer o bysgod a bwyd môr. A digon o win i yfed!

Fersiwn y Gogledd

Deialog 1 - yn y swyddfa

Caryl: Wyt ti'n medru dŵad i'r cyfarfod dydd Iau?

Huw: Y cyfarfod dydd Iau? Faint o'r gloch mae o?

Caryl: Am hanner awr wedi dau, dw i'n meddwl.

Huw: Dw i'n dŵad i'r cyfarfod ond dw i'n mynd i Gaerdydd wedyn.

Caryl: Pam wyt ti'n mynd i Gaerdydd?

Huw: I weld fy chwaer a'i theulu.

Deialog 2 - ar y ffôn

Esyllt: Helo, Dafydd, sut wyt ti?

Dafydd: Ardderchog, diolch, Esyllt. Mi ddes i nôl o 'ngwyliau neithiwr.

Esyllt: O, dyna neis. Lle est ti ar dy wyliau?

Dafydd: I Sbaen.

Esyllt: Est ti ar dy ben dy hun?

Dafydd: Naddo, mi es i efo Aled fy mrawd a ffrind i fi, Marc.

Esyllt: Sut est ti, 'ta - mewn bws?

Dafydd: Naci, mewn awyren, o Birmingham.

Esyllt: I le est ti yn Sbaen?

Dafydd: Mi es i i Granada a Seville.

Esyllt: Be' gest ti i fwyta?

Dafydd: Mi ges i lawer o bysgod a bwyd môr. A digon o win i yfed!

Nod: Dweud beth wnaethoch chi a beth wnaeth pobl eraill

Pwyntiau gramadegol sy'n codi

- Do / Naddo yn ateb cwestiwn lle mae'r ferf yn y gorffennol
- Treiglo'r ferf mewn cwestiwn a gosodiad negyddol (gweler Uned 14)
- Treiglo gwrthrych y ferf gryno (ffurf fer) yn y gorffennol (gweler Uned 14) (patrwm y De)
- Ffurfiau gorffennol 'gwneud' + berfenw yn rhoi ystyr orffennol yn y Gogledd. Angen treiglad meddal yn y berfenw
- Treiglo'n llaes ar ôl 'a' - mewn rhestri megis 'Ges i / Mi ges i dost a choffi i frecwast'
- Treiglo'n feddal ar ôl 'nos' - Nos Fawrth

Trefn yr Uned

16.1 Cyflwyno patrymau 1.
16.2 Cyflwyno patrymau 2.
16.3 Trafod lluniau – Beth wnaethoch chi ddoe?
16.4 Cyflwyno patrymau 3.
16.5 Trafod lluniau – Beth wnaeth John ddoe?
16.6 Cyflwyno patrymau 4.
16.7 Dw i eisiau / isio cliw
16.8 Ymarfer ti
16.9 Cyflwyno patrymau 5.
16.10 Diwrnod John, yn arwain at Siarad am Sefyllfaoedd
16.11 Holiadur Prydau Bwyd
16.12 Deialog
16.13 Un Nos Sadwrn ...

Adnoddau i'w paratoi

- **Dw i eisiau cliw** - awgrymiadau i'w rhoi i'r person sy'n meimio (gweler isod)
- **Cyflwyno patrymau 2.** (berfau rheolaidd) - cardiau fflach gyda gwahanol ferfau arnynt: e.e. golchi, coginio, ysgrifennu, darllen, edrych ar y teledu, mynd i'r dafarn, prynu, teipio, chwarae pêl-droed

16.1 Cyflwyno patrymau 1. (5+ munud)

1. Tynnu sylw at y ffaith bod 'Gwnes i' / 'Mi wnes i' yn dilyn patrwm tebyg i 'Es i' / 'Mi es i' a 'Des i' / 'Mi ddes i', a'u hatgoffa bod 'gwneud' yn golygu 'to do' a 'to make' yn Gymraeg.

16.2 Cyflwyno patrymau 2. (15+ munud)

1. Egluro'r patrwm. Yn y De ychwanegu –**ais** (gan gofio mai –**es** yw'r ynganiad) naill ai at y berfenw, neu at fôn y ferf (gwel-ais, cod-ais etc.). Yn y Gogledd, ffurfiau gorffennol **gwneud** + berfenw (a threiglad meddal).
2. Ar ôl y dril arferol, defnyddio'r cardiau fflach gyda'r gwahanol ferfau arnynt.
3. Yna holi pob un, 'Beth wnaethoch chi ddoe/neithiwr / y bore 'ma / dydd Sadwrn / y penwythnos diwethaf?'

16.3 Trafod lluniau – Beth wnaethoch chi ddoe? (10+ munud)

1. Mynd dros y lluniau'n gyflym fel bob pawb yn sicr pa ferf sydd o dan sylw a pharau i drafod y lluniau sydd yn y llyfr cwrs er mwyn atgyfnerthu'r gystrawen. Eu cael i ddefnyddio 'wedyn' i gysylltu brawddegau.
2. Parau i ymarfer beth wnaethon nhw ddoe mewn gwirionedd.

16.4 Cyflwyno patrymau 3. (10+ munud)

Ymarfer y trydydd person. Drilio'r berfau yn y tabl ac yna symud ymlaen at y cardiau fflach ac at gwestiwn ac ateb.

16.5 Trafod lluniau – Beth wnaeth John ddoe? (10+ munud)

Defnyddio'r cartwnau eto i holi beth wnaeth John / Megan etc. ddoe

16.6 Cyflwyno patrymau 4. (10+ munud)

1. Ymarfer y cwestiwn gyda berfau rheolaidd. Tynnu sylw at y treiglad meddal (De).
2. Ar ôl y dril cychwynnol, defnyddio'r cardiau fflach.

16.7 Dw i eisiau/isio cliw (10+ munud)

Rhoi papur cyfarwyddyd i bob aelod o'r dosbarth a'u cael yn eu tro i feimio'r gweithgaredd ar y papur. Y dosbarth i ddyfalu trwy ofyn cwestiynau yn y gorffennol, fel y nodir yn y gwerslyfr.

Cyfarwyddiadau posibl:

- gweithio yn yr ardd
- cysgu yn y bath
- bwyta *spaghetti*
- darllen y papur
- darllen *War and Peace*
- siarad â'r tiwtor
- codi'n hwyr
- mynd i'r dafarn
- gweld 'Dracula' ar y teledu
- gwneud *Vindaloo* i swper

16.8 Ymarfer ti (10 munud)

1. Ymarfer gyda'r patrymau ym mlwch 4.
2. Ymarfer gyda'r cartwnau.
3. Parau i baratoi cwestiynau i'w gofyn i'r tiwtor.

16.9 Cyflwyno patrymau 5. (10 munud)

1. Cyflwyno trydydd person gorffennol **dod**, **mynd**, **cael**, ynghyd â **gwneud**, a'u cyplysu â'r geiriau holi – Ble? Beth? Pryd? Beth?
2. Pan fyddant yn gyfforddus â'r rhain, gellir ychwanegu 'Faint o'r gloch?' a 'Sut?'

16.10 Diwrnod John, yn arwain at Siarad am Sefyllfaoedd (15 munud)

1. Defnyddio'r cwestiynau hyn i drafod sefyllfaoedd. Gwneud yn siŵr bod y dosbarth i gyd yn gyfforddus â'r cwestiynau yn y tabl cyn eu cael i'w hateb yn barau.
2. Symud ymlaen i siarad am y sefyllfaoedd yn y llyfr cwrs.
3. Parau i holi ei gilydd am ddiwrnod yr wythnos diwethaf.
4. Unigolion i ddweud wrth y dosbarth am ddiwrnod eu partner.

16.11 Holiadur Prydau Bwyd (15 munud)

Dilyn y cyfarwyddiadau yn y llyfr cwrs.

16.12 Deialog (10 munud)

1. Dilyn y patrwm arferol wrth gyflwyno / ymarfer / disodli / perfformio'r ddeialog.
2. Bydd angen tynnu sylw at y ffaith fod Do / Naddo yn cael eu defnyddio hefyd mewn cwestiwn / ebychiad, a bod pobl yn dueddol o ailadrodd do / ydy /oes ac ati.

16.13 Un Nos Sadwrn ... (10 munud)

1. Pawb i lenwi'r bylchau sydd yn y llyfr cwrs yn unigol. Bydd angen rhoi enw ar ôl Nos Sadwrn - e.e. Nos Sadwrn Eleri.
2. Mynd dros y cwestiynau yn y llyfr cwrs ac yna pawb yn gofyn i ddau berson arall am nos Sadwrn dau berson arall.
3. Eto, gellir atgyfnerthu drwy ddod â phawb yn ôl fel dosbarth i gyfnewid a chymharu gwybodaeth.

Nod: Rhoi stori / hanes mewn trefn arbennig

Pwyntiau gramadegol sy'n codi

- Treiglad Meddal ar ôl 'ar ôl / cyn i fi / mi ...'
- Modd defnyddio - 'ar ôl iddo fe/fo fynd' - i gyfieithu *'after he goes'* ac *'after he went'*
- Tuedd i roi 'yn' i mewn pan na ddylid gwneud - e.e. 'ar ôl i fi / mi yn mynd'

Trefn yr Uned

17.1 Cyflwyno patrymau 1.
17.2 Holiadur byr
17.3 Cyflwyno patrymau 2.
17.4 Rhestr o weithgareddau ar y bwrdd du / gwyn
17.5 Stori Ddoe - stori olynol gan ddefnyddio lluniau
17.6 Rhoi stori mewn trefn
17.7 Deialog

Adnoddau i'w paratoi

- Rhoi stori mewn trefn - er bod y stori yn y gwerslyfr (yn y drefn anghywir), byddai'n syniad cael llungopi i bob pâr ac iddyn nhw dorri'r brawddegau'n stribedi er mwyn gallu symud y brawddegau a gweld dilyniant y stori'n haws.

17.1 Cyflwyno patrymau 1. (10+ munud)

Cyflwyno'r patrwm fel arfer - gellir adolygu geirfa'r unedau blaenorol wedyn drwy ddrilio, e.e. *after reading; after seeing; after running; after working...*

17.2 Holiadur byr (15 munud)

1. Mynd dros y cwestiynau ac egluro unrhyw eirfa anghyfarwydd cyn i bawb fynd o gwmpas yn holi 5 person arall.
2. Holi am atebion wedyn fel dosbarth, e.e. - Pwy aeth i'r gwely cyn gweld newyddion 10 neithiwr? etc

17.3 Cyflwyno patrymau 2. (15+ munud)

Ar ôl drilio'r patrwm sydd yn y llyfr cwrs, amrywio wedyn gyda gwahanol ferfau sy'n treiglo.

17.4 Rhestr o weithgareddau ar y bwrdd du/gwyn (15+ munud)

1. Gan fod y gweithgaredd hwn yn debyg i 17.5 sy'n dilyn, awgrymir gwneud hwn yn weithgaredd dosbarth er mwyn i bawb fagu hyder. Bydd angen atgoffa am dreiglo ar ôl **i fi / mi ...** a hefyd treiglo gwrthrych y ferf - *Prynais i* ***dd****illad* (De).
2. Rhoi rhestr o ferfau sydd wedi codi ar y cwrs yn barod ar y bwrdd du, e.e.

   mynd i'r dre
   prynu dillad
   cael coffi
   cwrdd â ffrind
   cael cinio
   dod adre
   darllen y papur
   edrych ar y teledu

3. Troi'r ferf gyntaf i'r gorffennol - Es / Mi es i i'r dre - yna, rhaid i'r person nesaf ddweud
   - *Ar ôl i fi / mi fynd i'r dre, prynais i ddillad / mi wnes i brynu dillad.*
4. Yna - *Ar ôl i fi/mi brynu dillad, ges i goffi* ... ac yn y blaen.
5. Ar ôl gorffen y rhestr unwaith, ymarfer gyda'r 3ydd person - Aeth e / o i'r dre...

17.5 Stori Ddoe gan ddefnyddio lluniau (20 munud)

1. Mae'r cyfarwyddiadau yn y llyfr cwrs. Parau i weithio gyda'i gilydd yn gyntaf, ac yna dod yn ôl fel dosbarth er mwyn ymarfer – **ar ôl i ni** - a chyfeirio at y parau a defnyddio - **ar ôl iddyn nhw** a ffurf 3ydd lluosog y ferf yn y gorffennol
   - e.e. Ffonion nhw ffrind.
2. Gellid cael parau eraill i ddyfalu - 'Beth wnaethon nhw **ar ôl iddyn nhw** ddarllen y papur?' - 'Aethon nhw i siopa.'

17.6 Rhoi stori mewn trefn (20 munud)

1. Mae'r stori heb fod mewn trefn yn y llyf cwrs, ond fel y nodwyd o dan **Adnoddau i'w paratoi**, byddai'n well llungopïo tudalen i bob pâr ei thorri fesul brawddeg fel ei bod yn haws rhoi'r brawddegau mewn trefn.
2. Mynd dros y brawddegau'n gyflym i wneud yn siŵr fod pawb yn eu deall.
3. Parau i benderfynu beth yw trefn gywir y stori.
4. Dod â phawb yn ôl at ei gilydd, a pharau i adrodd y stori wrth weddill y dosbarth (fesul 2 / 3 brawddeg er mwyn i bawb gael tro) gan ddefnyddio 'Ar ôl...'
   e.e. Ar ôl i Siân godi'n gynnar, gaeth hi gawod.
5. Dyma'r stori yn y drefn gywir:

De:

Cododd Siân yn gynnar.
Gaeth Siân gawod.
Bwytodd Siân ei brecwast.
Aeth Siân ma's.
Aeth Siân i aros am y bws.
Daeth y bws.
Eisteddodd Siân ar bwys ei ffrind, Manon.
Siaradodd Siân â Manon.
Daeth car o rywle.
Breciodd y bws.
Sgrechiodd pawb ar y bws.
Aeth y bws i mewn i wal.
Daeth yr ambiwlans a'r heddlu.
Aeth Siân a Manon i'r ysbyty.

Gogledd:

Mi wnaeth Siân godi'n gynnar.
Mi gaeth Siân gawod.
Mi wnaeth Siân fwyta ei brecwast.
Mi aeth Siân allan.
Mi aeth Siân i aros am y bws.
Mi ddaeth y bws.
Mi wnaeth Siân eistedd yn ymyl ei ffrind, Manon.
Mi wnaeth Siân siarad â Manon.
Mi ddaeth car o rywle.
Mi wnaeth y bws frecio.
Mi wnaeth pawb ar y bws sgrechian.
Mi aeth y bws i mewn i wal.
Mi ddaeth yr ambiwlans a'r heddlu.
Mi aeth Siân a Manon i'r ysbyty.

17.7 Deialog (20 munud)

Dilyn y patrwm arferol wrth gyflwyno / ymarfer / disodli / perfformio'r ddeialog.

Nod: Dweud beth mae'n rhaid ei wneud a beth mae'n rhaid peidio ei wneud

Pwyntiau gramadegol sy'n codi

- Treiglad Meddal ar ôl 'Rhaid i fi / mi...'
- Dim treiglad ar ôl 'Rhaid i fi / mi beidio....'
- Does dim rhaid i fi / mi = *I don't have to;* Rhaid i fi/mi beidio = *I mustn't*

Trefn yr Uned

18.1 Cyflwyno patrymau 1.
18.2 Holiadur: Beth mae'n rhaid i ti wneud?
18.3 Cyflwyno patrymau 2.
18.4 Trafod lluniau
18.5 Cyflwyno patrymau 3.
18.6 Cyngor i Colin
18.7 Arwyddion
18.8 Deialog
18.9 Pecyn Ymarfer

Adnoddau i'w paratoi

- Cyngor i Enwogion (dewisol) Lluniau o enwogion y dydd neu gymeriadau hanesyddol er mwyn sbarduno'r dosbarth.

18.1 Cyflwyno patrymau 1. (10+ munud)

Cyflwyno'r patrwm fel arfer, ac adolygu geirfa'r unedau blaenorol wedyn drwy ddrilio, e.e. *I've got to work in the garden / go to Aberystwyth* ac ati.

18.2 Holiadur: Beth mae'n rhaid i ti wneud? (15-20 munud)

1. Mynd dros y lluniau ac egluro unrhyw eirfa anghyfarwydd cyn i bawb fynd o gwmpas yn holi 4 person.
2. Holi unigolion yn uniongyrchol i adolygu - 'Beth mae'n rhaid i ti / chi wneud fory / dros y penwythnos?'
3. Cofier y bydd modd defnyddio'r atebion hyn wrth adolygu yn nes ymlaen yn yr uned hon.

18.3 Cyflwyno patrymau 2. (15+ munud)

Ar ôl drilio'r patrwm sydd yn y llyfr cwrs, amrywio wedyn gyda gwahanol ferfau sy'n treiglo a gofyn cwestiynau 'Oes rhaid i ti...?' i unigolion a chael atebion cadarnhaol a negyddol.

18.4 Trafod lluniau (15+ munud)

1. Mynd dros yr eirfa cyn i barau gydweithio – cofiwch atgoffa / gorfodi pobl i newid partner o dro i dro hefyd.
2. Dod nôl fel dosbarth i drafod atebion:
   Oes rhaid iddo fe / fo / iddi hi / i chi?' (fel pâr)
   i gael atebion: 'Oes / Nac oes, (does dim) rhaid iddo fe / fo / iddi hi / i ni ....'
3. Holi parau am barau eraill (i weld a ydyn nhw wedi bod yn gwrando):
   'Oes rhaid iddyn nhw ....?'

18.5 Cyflwyno patrymau 3. (15+ munud)

Cyflwyno'r patrwm a chyflwyno'r personau nad ydynt yn y dril yn y llyfr cwrs hefyd erbyn y diwedd.

18.6 Cyngor i Colin (10-15 munud)

1. Esbonio'r dasg yn y llyfr cwrs, mynd dros yr eirfa a'r idiom 'rhoi'r ffidl yn y to' a pharau i fynd ati i lunio cynghorion.
2. Mynd drostyn nhw fel dosbarth, gan ofyn am unrhyw gynghorion 'gwreiddiol' a allai fod gan y dosbarth i Colin.

18.7 Arwyddion (5-10 munud)

Cael y dosbarth i gynnig atebion i'r cwestiynau am yr arwyddion cyffredin hyn, gan gyflwyno unrhyw eirfa angenrheidiol, cyn iddynt ymarfer eto yn barau.

18.8 Deialog (15 munud)

Dilyn y patrwm arferol wrth gyflwyno / ymarfer / disodli / perfformio'r ddeialog.

18.9 Pecyn Ymarfer (5 munud)

Dylid gwneud yn siŵr fod pawb yn gyfarwydd â'r eirfa sydd ei hangen ar gyfer Ymarfer 3.

CANLLAWIAU'R CWRS MYNEDIAD — Uned 19

Nod: Rhoi gorchmynion a chyfarwyddiadau syml

Pwyntiau Gramadegol sy'n codi

- Ffurfiau'r Gorchmynnol – **ti** a **chi** – Cadarnhaol a Negyddol

Trefn yr Uned

19.1 Cyflwyno patrymau 1.
19.2 Holiadur: Ble / Lle mae'r ....?
19.3 Rhoi cyfarwyddiadau i leoedd ar fap + Gwaith Pâr
19.4 Cyflwyno patrymau 2.
19.5 Arwyddion ffyrdd
19.6 Cyflwyno patrymau 3.
19.7 Trafod lluniau
19.8 Deialog

Adnoddau i'w paratoi

- **Ble / Lle mae'r .....?**
  Llungopi o'r cyfarwyddiadau sydd ar ddiwedd canllawiau'r uned - gweler manylion y gweithgaredd.
- **Rhoi cyfarwyddiadau i leoedd ar fap**
  Gall y tiwtor ddarllen y cyfarwyddiadau, neu gellid tapio siaradwyr eraill ymlaen llaw er mwyn i'r dosbarth ddechrau ymgyfarwyddo â lleisiau eraill.

Cynllun Achredu Rhwydwaith y Coleg Agored

- **Rhoi cyfarwyddiadau i leoedd ar fap + Gwaith Pâr**
  Mae ail ran y gweithgaredd hwn - Gwaith Pâr - yn ateb gofynion Lefel 1 - Cymwynas a Chyngor (Tasg 2).

19.1 Cyflwyno patrymau 1. (15 munud)

Cyflwyno'r patrwm fel arfer. Dim ond yr hyn sydd yn y llyfr cwrs am y tro.

19.2 Holiadur: Ble / Lle mae'r ....? (15-20 munud)

1. Rhoi darn o bapur (gweler diwedd canllawiau'r uned) i bob dysgwr gyda chyfarwyddiadau i fynd i un lle. Os oes mwy na deg o bobl yn y dosbarth, gwneud copïau ychwanegol o rai cyfarwyddiadau yn ôl yr angen. Os oes llai na deg yn y dosbarth, rhoi sawl darn o bapur i ambell un.
2. Pob unigolyn i roi'r wybodaeth sydd ganddo / ganddi ar y grid.
3. Casglu'r papurau.
4. Pawb i grwydro o gwmpas i holi eraill am un lle ar hap - ni ddylid gadael i ddysgwyr ddangos eu grid i bobl eraill gael copïo'r wybodaeth i'w grid nhw - rhaid trosglwyddo'r wybodaeth **ar lafar** bob tro:

   'Ble / Lle mae'r clwb rygbi?'

   'Dw i ddim yn gwybod.'

   neu 'Cerwch heibio i'r siopau. Trowch i'r chwith.'
5. Ar y dechrau, efallai y bydd yn rhaid holi llawer o bobl cyn dod o hyd i'r atebion cyntaf, ond fe ddaw hi'n haws wrth i fwy o bobl gael gafael ar wybodaeth.

19.3 Rhoi cyfarwyddiadau i leoedd ar fap + Gwaith Pâr (15+ munud)

1. Darllen y cyfarwyddiadau yma - fwy nag unwaith os oes angen - a phawb i nodi'r llythyren sy'n cyfateb. Dych chi'n cychwyn o'r maes parcio.

   Ble / Lle mae'r garej? (c)
   Cerwch yn syth ymlaen. Trowch i'r dde i Heol y Felin, ac mae'r garej gyferbyn â'r banc.

   Ble / Lle mae'r clwb rygbi? (a)
   Cerwch yn syth ymlaen. Trowch i'r dde i Heol y Parc. Trowch i'r chwith i Heol Derwen Fawr ac mae'r clwb rygbi ar y cylchdro, ar bwys / yn ymyl y parc.

   Ble / Lle mae'r ysgol gynradd? (ch)
   Cerwch yn syth ymlaen ar y Stryd Fawr ac mae'r ysgol gynradd ar y dde.

   Ble / Lle mae'r llyfrgell? (dd)
   Cerwch yn syth ymlaen. Trowch i'r dde i Heol y Parc a throwch i'r dde ar Heol Derwen Fawr. Mae'r llyfrgell gyferbyn â'r ysgol gyfun.

2. Parau i rannu'r llythrennau sydd dros ben - b, d, e, ac f - rhyngddyn nhw a dweud wrth y person arall sut i gyrraedd dau le (gweler y llyfr cwrs).

19.4 Cyflwyno patrymau 2. (10-15 munud)

Cyflwyno'r patrwm fel y mae ac yna defnyddio'r dril i ymarfer berfau eraill sydd wedi eu cyflwyno eisoes yn y cwrs.

19.5 Arwyddion ffyrdd (5-10 munud)

1. Ymarfer cyflym i adolygu'r patrwm.
2. Allwedd (o'r chwith i'r dde):
   Peidiwch troi i'r dde.
   Peidiwch troi i'r chwith.
   Peidiwch gyrru beic / seiclo (yma).
   Peidiwch gyrru'n gyflym / Peidiwch gyrru'n rhy gyflym / Peidiwch gyrru dros 70 m.y.a. / Peidiwch parcio.

19.6 Cyflwyno patrymau 3. (20+ munud)

1. Cyflwyno'r patrwm, gan ganolbwyntio gyntaf ar ffurfiau 'chi' ac yna ffurfiau 'ti' y berfau rheolaidd, ac yna symud at y berfau afreolaidd.
2. Gellir mynd yn ôl at y map (**19.3**) a rhoi cyfarwyddiadau 'ti' y tro hwn.

19.7 Trafod lluniau (20 munud)

Cyfle i fynd dros y ffurfiau gorchmynnol i gyd. Gellir gwahodd ambell bâr i gyflwyno eu 'deialog' i weddill y dosbarth os ydyn nhw'n cael hwyl arni. Dylid gwahanu parau priod (fel y dylid gwneud bob amser, wrth gwrs) rhag ofn iddi fynd yn rhyfel cartref.

19.8 Deialog (20 munud)

Dilyn y patrwm arferol wrth gyflwyno / ymarfer / disodli / perfformio'r ddeialog.

Cyfarwyddiadau ar gyfer 19.2 Ble / Lle mae'r ....?

De

Sut i gyrraedd Swyddfa'r Post:

Cerwch lan y rhiw.
Trowch i'r chwith.

Sut i gyrraedd y clwb rygbi:

Cerwch heibio i'r siopau.
Trowch i'r chwith.

Sut i gyrraedd y banc:

Cerwch lan y rhiw.
Trowch i'r dde.

Sut i gyrraedd y ganolfan hamdden:

Cerwch ar hyd Stryd y Bont.
Trowch ar bwys yr ysgol gynradd.

Sut i gyrraedd y garej:

Cerwch drwy'r goleuadau.
Trowch i'r dde.

Sut i gyrraedd yr eglwys:

Cerwch lan y rhiw.
Trowch i'r chwith.

Sut i gyrraedd Bombay Spice:

Cerwch heibio i'r siopau.
Trowch gyferbyn â'r Light of Asia.

Sut i gyrraedd y theatr:

Cerwch lan y rhiw.
Trowch i'r dde.

Sut i gyrraedd y parc:

Cerwch yn syth ymlaen.
Trowch ar bwys y Llew Aur (The Golden Lion).

Sut i gyrraedd yr ysgol gynradd:

Cerwch drwy'r goleuadau.
Trowch i'r chwith.

Gogledd

Sut i gyrraedd Swyddfa'r Post:

Ewch i fyny'r allt.
Trowch i'r chwith.

Sut i gyrraedd y clwb rygbi:

Ewch heibio i'r siopau.
Trowch i'r chwith.

Sut i gyrraedd y banc:

Ewch lawr yr allt.
Trowch i'r dde.

Sut i gyrraedd y ganolfan hamdden:

Ewch ar hyd Stryd y Bont.
Trowch yn ymyl yr ysgol gynradd.

Sut i gyrraedd y garej:

Ewch drwy'r goleuadau.
Trowch i'r dde.

Sut i gyrraedd yr eglwys:

Ewch lawr yr allt.
Trowch i'r chwith.

Sut i gyrraedd Bombay Spice:

Ewch heibio i'r siopau.
Trowch gyferbyn â'r Light of Asia.

Sut i gyrraedd y theatr:

Ewch i fyny'r allt.
Trowch i'r dde.

Sut i gyrraedd y parc:

Ewch yn syth ymlaen.
Trowch yn ymyl y Llew Aur (The Golden Lion).

Sut i gyrraedd yr ysgol gynradd:

Ewch drwy'r goleuadau.
Trowch i'r chwith.

Nod: Adolygu ac ymestyn

Trefn yr Uned

20.1 Adolygu patrymau 1.
20.2 Gwenda Gall
20.3 Holiadur Cyn ac Ar ôl
20.4 Adolygu patrymau 2.
20.5 Rhoi cyngor i bobl enwog
20.6 Adolygu patrymau 3.
20.7 Ymateb i orchmynion
20.8 Darllen yn uchel
20.9 Gwrando

Adnoddau i'w paratoi

- **Rhoi cyngor i bobl enwog (dewisol)** Lluniau o enwogion y dydd/cymeriadau hanesyddol neu enwau ar gardiau (4 gwahanol i bob grŵp o 3) er mwyn sbarduno'r dosbarth.
- **Ymateb i orchmynion (dewisol)** Os ydych yn credu y byddai hynny'n gweithio'n well, gallwch baratoi cyfarwyddiadau i ysgogi'r dysgwyr i roi gorchmynion i'w gilydd, e.e. 'darllen', 'bwyta', 'agor y drws' ac ati.
- **Paratoi'r CD / tâp**

20.1 Adolygu patrymau 1. (10+ munud)

Cyflwyno'r patrwm fel arfer, ac adolygu geirfa'r unedau blaenorol wedyn drwy ddrilio i amrywio'r treigladau.

20.2 Gwenda Gall (10 munud)

1. Rhannu'r dosbarth yn barau. Dilyn y cyfarwyddiadau yn y llyfr cwrs.
2. Dyma'r allwedd:

1.dd; 2.e; 3.d; 4.f; 5.a; 6.c; 7.ch; 8.b.

20.3 Holiadur Cyn ac Ar ôl (15+ munud)

1. Mynd dros y cwestiynau cyn i'r dosbarth fynd ati i'w holi a phwysleisio bod rhaid

dechrau'r ateb gyda **Cyn / Ar ôl**. Gallwch newid y cwestiynau os yw hynny'n addas i'r dosbarth, e.e. newid Cwestiwn 1 yn 'Pryd gest ti frecwast y bore 'ma?' os yw pawb wedi ymddeol neu'n gofalu am blant gartref! Does dim rhaid cyfyngu'r atebion i unrhyw berson arbennig - gallai'r ateb i gwestiwn 1. fod yn amrywiol iawn:

e.e. Cyn / Ar ôl i fi / mi ddarllen y papur.
Cyn / Ar ôl i'r plant fynd i'r ysgol.
Cyn / Ar ôl i ni gael cawod.

2. Ar ôl i bawb holi 4 person, holi unigolion yn y dosbarth am hanes pobl eraill - e.e. 'Pryd aeth Huw i'r gwely neithiwr?' - 'Ar ôl iddo fe / fo weld y newyddion'.

20.4 Adolygu patrymau 2. (10-15 munud)

Adolygu'r patrwm - gan gyflwyno mwy o eirfa a neidio o un dril i'r llall erbyn y diwedd.

20.5 Rhoi cyngor i bobl enwog (15+ munud)

1. Paratoi lluniau o bobl enwog, cymeriadau hanesyddol neu'r rhai sydd yn y newyddion er mwyn sbarduno pobl i wneud y dasg. Neu, gellid paratoi cardiau gydag enwau pobl arnyn nhw - rhoi dewis gwahanol o 4 i bob grŵp fel bod y cynghorion yn amrywio.
2. Cyflwyno'r dasg fel y mae yn y llyfr cwrs. Pwysleisio bod angen defnyddio'r cystrawennau hyn:

   Rhaid i chi / iddo fe / hi / iddyn nhw
   Rhaid i chi / iddo fe / hi / iddyn nhw beidio
   Does dim rhaid i chi/iddo fe / hi / iddyn nhw
3. Rhannu'r dosbarth yn drioedd i feddwl am gynghorion - mae lle i dri chyngor i bob person / pâr enwog yn y llyfr cwrs, ond mae croeso i grwpiau feddwl am ragor! Os yw'r grwpiau'n cael trafferth meddwl am dri chyngor i bob person, gallant ddewis person enwog arall eto a pharatoi llai o gynghorion.
4. Dod â phawb yn ôl at ei gilydd i adrodd eu cynghorion i'r dosbarth.

20.6 Adolygu patrymau 3. (15 munud)

1. Cyflwyno'r dril fel y mae yn y llyfr cwrs, yna symud ymlaen gyda'r tiwtor yn rhoi ffurfiau gorchmynnol berfau eraill a'r dysgwyr i ymateb yn ôl y dril - Does dim rhaid i fi / i mi...... / Rhaid i fi / i mi ....
2. Gellid cael unigolion i roi gorchmynion, a phawb yn ateb mewn corws hefyd ar ôl i bawb ddod yn gyfarwydd â'r gweithgaredd.

20.7 Ymateb i orchmynion (10 munud)

1. Fel ymestyniad o'r sesiwn adolygu patrymau, gellid paratoi pawb ar gyfer y gweithgaredd hwn wrth i'r tiwtor roi gorchymyn yn gyntaf a phawb i ymateb.
2. Yna gofyn i aelodau'r dosbarth roi gorchmynion, efallai ar sail cyfarwyddyd ar bapur, i aelod arall, a fydd wedyn yn ufuddhau, trwy feimio mae'n debyg, neu'n ymateb fel arall.
3. Bydd angen gwneud yn siŵr bod pawb yn gwybod yr eirfa.

20.8 Darllen yn uchel (10-15 munud)

1. Y tiwtor i ddarllen y darn yn uchel a phawb yn ailadrodd pob brawddeg ar ei (h)ôl yn uchel.
2. Pawb yn cael ychydig funudau i ddarllen y darn yn dawel ar eu pennau eu hunain a chyfle i holi'r tiwtor am unrhyw eiriau maen nhw'n ansicr ynghylch eu hynganu. Nid oes angen manylu ar ystyr geiriau unigol anghyfarwydd.
3. Rhannu'r dosbarth yn drioedd a phob un yn y grŵp yn cymryd brawddeg ar y tro i'w darllen yn uchel.
4. Mynd o gwmpas i gywiro'r ynganu ac ati. Dod â phawb nôl at ei gilydd a gofyn i unigolion (heb fod mewn unrhyw drefn benodol) ddarllen brawddeg ar y tro.
5. Annog pawb i ymarfer y darn gartref o flaen y drych.

20.9 Gwrando ar ddeialog (10+ munud)

Llenwi grid yw'r dasg y tro hwn. Gwrando ar y tâp / CD gymaint o weithiau ag sydd ei angen er mwyn i bawb ddeall cymaint o fanylion ag sy'n bosibl.

Sgript y ddeialog

A: Helo, Dafydd.

B: Helo, Cathryn.

A: Dwyt ti ddim yn mynd i gael cinio, Dafydd?

B: Nac ydw, mae'n rhaid i fi / mi fynd i siopa. Does dim bwyd yn y tŷ o gwbl. Beth wyt ti'n wneud, Cathryn?

A: Wel, dw i'n mynd i gael cinio gyda Sioned. Does dim rhaid i fi / mi siopa heddiw, diolch byth.

B: Dw i'n gorffen gwaith yn gynnar heddiw a rhaid i fi / mi fynd i nôl y plant o'r ysgol.

A: O, dw i'n mynd i nofio yn syth ar ôl y gwaith. Dw i ddim wedi bod ers amser.

B: Wyt ti'n dod / dŵad ar y cwrs yfory? Rhaid i fi / mi fynd, yn anffodus.

A: O, nac ydw, dw i ddim yn gallu mynd. Rhaid i fi / mi a Steve fynd i Gaerdydd. Mae cyfarfod diflas gyda ni / Mae gynnon ni gyfarfod diflas.

Nod: Mynegi barn a disgrifio gan ddefnyddio ansoddeiriau

Pwyntiau gramadegol sy'n codi

- Ansoddair yn treiglo'n feddal ar ôl **yn** (nid **ll** ac **rh**), ond nid yw berfenw'n treiglo'n feddal.
- Mân bwyntiau eraill i'w gweld ar ddiwedd yr adran Gramadeg: ansoddair sy'n cael ei ailadrodd yn cael ei dreiglo ddwywaith; yr ansoddair cyntaf yn unig sy'n treiglo mewn rhestr o ansoddeiriau; cofio bod angen treiglo'n llaes ar ôl **a** (= and).

Trefn yr Uned

21.1 **Cyflwyno patrymau 1.**
21.2 **Holiadur Beth wyt ti'n feddwl o ....?**
21.3 **Cyflwyno patrymau 2.**
21.4 **Trafod lluniau**
21.5 **Cyflwyno patrymau 3.**
21.6 **Trafod lluniau**
21.7 **Lliwiau'r Baneri - gêm i dimau o dri**
21.8 **Deialog**

Adnoddau i'w paratoi

- **Cyflwyno patrymau 1**. Cerdyn i bob ansoddair (heb ei dreiglo) er mwyn chwarae'r gêm ddyfalu.
- Cerdyn i bob lliw gyda darn o bapur / defnydd o'r lliw hwnnw ar bob un.
- Os oes llungopïwr lliw wrth law, cardiau fflach o'r lluniau ar dudalen 133 yn y llyfr cwrs.

21.1 Cyflwyno patrymau 1. (15 munud)

Cyflwyno'r patrwm ar lafar gyntaf ac yna defnyddio'r eirfa ar gardiau unigol i chwarae'r gêm ddyfalu arferol (gweler **4.4**). Mynnu bod pawb yn rhoi brawddeg gyfan a'r ansoddair wedi'i dreiglo.

21.2 Holiadur Beth wyt ti'n feddwl o ....? (15+ munud)

1. Pawb i feddwl am enw llyfr, ffilm neu raglen deledu, person a lle a llenwi'r bylchau yn yr holiadur.
2. Mynd dros y cwestiwn - 'Beth wyt ti'n feddwl o ....?' / 'Beth dych / dach chi'n feddwl o ...?'
3. Pawb i fynd o gwmpas y dosbarth yn holi tri pherson a chofnodi eu henwau ar y grid.
4. Cyfle i ddod â phawb yn ôl at ei gilydd -
   'Beth ddwedodd Graham am *War and Peace?*'
   'Mae e / o'n ddiddorol.'

21.3 Cyflwyno patrymau 2. (10-15 munud)

1. Cyflwyno'r eirfa y tro yma drwy gyfrwng lluniau a meim - gellir tynnu lluniau ar y bwrdd du wrth gyflwyno'r patrwm – 'Mae e'n dew / denau' ac ati, ac yna pwyntio at y gwahanol luniau i gael y dysgwyr i ddweud y frawddeg.
2. Bydd meim yn fwy addas ar gyfer rhai ansoddeiriau fel 'hen', 'ifanc', 'neis' a 'cas'.
3. Gellir gwahodd dysgwyr i feimio a / neu dynnu llun hefyd.

21.4 Trafod lluniau (10+ munud)

1. Mynd dros y patrymau gan ychwanegu'r patrwm 'Glyn ydy o / Mair yw hi' ar gyfer dyfalu'r ateb.
2. Dilyn y cyfarwyddiadau yn y llyfr cwrs – y parau i ddewis enw addas i'r wyth person o blith yr enwau ar y rhestr (eu hysgrifennu wrth y rhifau).
3. Partner A i ddisgrifio un o'r cymeriadau, heb ei h / enwi, 'Mae e / o'n dal / hen / gas' etc. Rhaid i Bartner B ddarganfod pwy mae'n ei ddisgrifio drwy holi: 'Ydy e / o'n olygus?' ac ati.
4. Pan fydd yn barod i ddyfalu, Partner B i ofyn, 'Carwyn yw e? / Mair ydy hi?' etc
5. Pan fydd pawb yn ôl gyda'i gilydd, gall y tiwtor holi pob pâr, 'Sut un yw / ydy Carwyn?' etc. Wrth gwrs, bydd atebion pob pâr yn wahanol. Gall fynd yn ddadl!

21.5 Cyflwyno patrymau 3. (15 munud)

Cyflwyno'r lliwiau drwy ddefnyddio'r cardiau a / neu'r cardiau fflach. Gellir symud ymlaen i ddefnyddio'r lluniau yn y llyfr ac ar ôl ychydig i bwyntio at bethau yn y dosbarth.

21.6 Trafod lluniau (10-15 munud)

Trafod syml ar sail y cwestiynau a'r cyfarwyddiadau yn y llyfr. Efallai y bydd angen atgoffa'r dysgwyr am y gystrawen 'crys Siân'. Bydd angen yr un gystrawen yn yr ymarfer nesaf i sôn am 'faner Cymru' ac ati.

21.7 Lliwiau'r baneri - gêm i dimau o dri (15–20 munud)

1. Rhannu'r dosbarth yn dimau o dri.
2. Rhaid nodi lliw pob baner - yn y drefn gywir os oes stribedi. Bydd llawer o faneri'n hawdd - mater o gyfieithu'r lliw i'r Gymraeg fydd hi. Ond bydd angen trafod mwy gyda/efo baneri llai cyfarwydd – e.e. De Affrica, Uruguay.
3. Mynd dros y cyfan - 'Beth yw / Be' ydy lliwiau baner Cymru?' - 'Coch, Gwyn a Gwyrdd'. (Neu 'Gwyn, Gwyrdd a Choch', wrth gwrs.)
4. Rhoi 2 farc am bob baner sy'n gwbl gywir o ran lliw a threfn y lliwiau - 1 marc os yw'r lliwiau'n gywir ond trefn y lliwiau'n anghywir.

21.8 Deialog (15 munud)

Deialog fer, ond mae digon o gyfle i gael hwyl wrth ddisodli. Cyflwyno / Ymarfer / Disodli a Pherfformio fel arfer.

CANLLAWIAU'R CWRS MYNEDIAD — Uned 22

Nod: Gofyn am rywbeth a mynegi eisiau

Pwyntiau gramadegol sy'n codi

- Treiglo enw/berfenw ar ôl **Ga' i ....?**
- Dim angen **yn** ar ôl eisiau - **Dw i eisiau** - nid **Dw i ~~yn~~ eisiau**

Trefn yr Uned

22.1 Cyflwyno patrymau 1.
22.2 Trafod lluniau
22.3 Cyflwyno patrymau 2.
22.4 Battleships
22.5 Cyflwyno patrymau 3.
22.6 Yn y bwyty - dewis o'r fwydlen
22.7 Deialog
22.8 Y Pecyn Ymarfer

Adnoddau i'w paratoi

Dim

22.1 Cyflwyno patrymau 1. (15 munud)

1. Cyflwyno'r patrwm, sef **Ga' i + enw** – gan dynnu sylw at y treiglad meddal ar ôl **Ga' i ...?**
2. Mae nodyn yn yr adran ar Ramadeg am y gwahanol ffyrdd o ddweud *Please* yn Gymraeg.
3. Gofyn cwestiynau 'Ga' i...?' i wahanol aelodau o'r dosbarth i ymarfer yr atebion 'Cei / Na chei / Cewch / Na chewch'.

22.2 Trafod lluniau (15 munud)

Defnyddio'r ymarfer fel y mae yn y gwerslyfr. Mynd o gwmpas i wneud yn siŵr fod pawb yn treiglo ar ôl 'Ga' i ...?'

22.3 Cyflwyno patrymau 2. (15 munud)

Cyflwyno'r patrwm, sef **Ga' i + berfenw**. Cyfle i adolygu geirfa a gyflwynwyd o'r blaen ar ôl cyflwyno'r hyn sydd yn y llyfr cwrs - edrych ar y teledu, gweithio yn yr ardd, coginio, mynd adre, ac ati.

22.4 Battleships (15 munud) (E.D.)

1. Rhannu'r dosbarth yn barau a dilyn y cyfarwyddiadau yn y llyfr cwrs.
2. Pob partner i ddewis 5 sgwâr i'w marcio ar Eich sgwariau chi.
3. Rhaid darganfod pa 5 sgwâr mae'r partner wedi eu marcio drwy ofyn cwestiynau 'Ga' i ....?' - e.e. 'Ga' i siarad â chi?' Os yw'r partner wedi marcio'r sgwâr, rhaid ateb 'Cei / Cewch'. Os nad yw, rhaid dweud 'Na chei / Na chewch'.

22.5 Cyflwyno patrymau 3. (15-20 munud)

1. Cyflwyno'r patrymau, gan bwysleisio nad oes angen **yn** cyn **eisiau**.
2. Holi cwestiynau i gael atebion 'Ydw / Nac ydw'.
3. Er mai dim ond patrwm y person 1af unigol – 'Dw i / Dw i ddim' - sydd yn y llyfr cwrs, mae hwn yn gyfle hefyd i adolygu personau eraill y ferf – 'Mae e / o eisiau / Mae hi eisiau / Dyn / Dan ni eisiau' ac ati.
4. Adolygu geirfa eto hefyd drwy ddrilio brawddegau Saesneg neu feimio – 'dw i eisiau dawnsio; dw i eisiau coginio; dw i eisiau darllen y papur; dw i eisiau chwarae golff' - ac ati.

22.6 Yn y bwyty - dewis o'r fwydlen (15–20 munud)

1. Darllen y fwydlen fel dosbarth a chyflwyno ystyron ambell air anghyfarwydd.
2. Rhannu'r dosbarth yn grwpiau o dri, neu bedwar os yw hynny'n haws.
3. Dewis un aelod i fod yn weinydd. Pawb arall i ddewis rhywbeth i ddechrau, yn brif gwrs, i bwdin ac i'w yfed.
4. Y gweinydd yn holi - 'Beth dych/dach chi eisiau i yfed?' ac ati, a phawb i roi eu hatebion **mewn brawddegau llawn** - 'Dw i eisiau ....'
5. Newid gweinydd a phawb yn dewis eto a chyflwyno ei archeb i'r gweinydd.
6. Gall y tiwtor symud o gwmpas y grwpiau i fod yn weinydd neu gwsmer.

22.7 Deialog (15 munud)

Cyflwyno / Ymarfer / Disodli a Pherfformio fel arfer.

22.8 Y Pecyn Ymarfer - Byddai'n werth treulio rhai munudau'n edrych dros yr ymarferion i wneud yn siŵr fod pawb yn gwybod beth yw ystyr y gwahanol luniau.

Nod: Trafod Arian

Pwyntiau Gramadegol sy'n codi

- **Ceiniog / Punt** yn fenywaidd
- Dulliau modern a thraddodiadol o drafod arian

Trefn yr Uned

23.1 Cyflwyno patrymau 1.
23.2 Penderfynu beth yw'r prisiau
23.3 Cyflwyno patrymau 2.
23.4 Prynu a gwerthu
23.5 Tiwtor yn arddweud prisiau
23.6 Gwaith pâr - Siop y Llan*
23.7 Deialog

*Cynllun Achredu Rhwydwaith y Coleg Agored

23.6 Gwaith Pâr - Siop y Llan - (Mae'r dasg hon yn ateb rhai o ofynion Lefel 1 - Siarad - Amser ac Arian - Tasg 2)

Y Pecyn Ymarfer - mae Tasg Ysgrifennu Sieciau yma sy'n ateb gofynion Lefel 1 - Ysgrifennu 1.1

Adnoddau i'w paratoi

- **Cyflwyno patrymau 1.** Tua 10 cerdyn fflach â gwahanol brisiau arnyn nhw (hyd at £20)
- **Cyflwyno patrymau 2.** Cerdyn fflach i bawb yn y dosbarth gyda phrisiau o 20c hyd at £10.00 arnyn nhw.
- **Tiwtor yn Arddweud Prisiau** Darnau o bapur rhag ofn na fydd papur gan rai aelodau o'r dosbarth.

23.1 Cyflwyno patrymau 1. (15-20 munud)

1. Cyflwyno'r dril sydd yn y llyfr cwrs, yna symud ymlaen i gyflwyno'r cardiau fflach. Dylid defnyddio'r dull 'modern' o drafod arian, h.y. £14.00 - un deg pedair o bunnau/bunnoedd (**nid** pedair punt ar ddeg).
2. Dylid cyflwyno rhai o'r pwyntiau yn yr adran Ramadeg a nodi enghreifftiau ar y bwrdd du (nid darllen y nodiadau fel y maent).

e.e. bod **ceiniog** a **punt** yn fenywaidd; ein bod yn ysgrifennu sieciau gan ddefnyddio..... **o bunnau / bunnoedd**, a nodi'r ffurfiau modern yn unig - **un deg wyth o bunnau**; gellir sôn hefyd bod tuedd i gadw'r dull traddodiadol gyda rhai symiau - e.e. **ugain ceiniog / hanner can ceiniog / ugain punt**

23.2 Penderfynu beth yw'r prisiau (15 munud)

1. Defnyddio'r ymarfer fel y mae yn y llyfr cwrs. Parau i benderfynu gyda'i gilydd beth yw prisiau rhai eitemau.
2. Dod â phawb yn ôl at ei gilydd a holi'r gwahanol barau: 'Faint yw'r cryno ddisg yn eich siop chi?' ac ati.

23.3 Cyflwyno patrymau 2. (15 munud)

Cyflwyno'r patrwm yn y llyfr cwrs. Wedyn, gellir dosbarthu'r ail set o gardiau fflach (prisiau o 20c hyd at £10.00) a phawb i ddangos ei gerdyn. Y tiwtor i ofyn cwestiynau addas - e.e. os oes cerdyn £5.00 gan rywun, holi: 'Beth yw pris y gwin?' i gael yr ateb 'Pum punt y botel'.

Dyma rai enghreifftiau:

'Beth yw pris y gwin / fodca / wisgi / diesel / petrol?'
'Beth yw pris y caws / tomatos / cig?'
'Beth yw pris y tocynnau / llyfrau?'
'Beth yw pris y losin / tocynnau raffl?'

23.4 Prynu a gwerthu (E.H.) (15 munud)

Dilyn cyfarwyddiadau'r llyfr cwrs a'r ddau bartner i lenwi'r golofn gywir cyn dechrau bargeinio â'i gilydd.

23.5 Tiwtor yn arddweud prisiau (15 munud)

1. Cyflwyno prisiau dros £99 (mae ychydig o nodiadau yn yr adran ar Ramadeg). Arddweud y prisiau canlynol a'r dosbarth yn eu hysgrifennu ar ddarn o bapur. Ceisiwch ynganu ar gyflymdra naturiol.

1. £5.00
2. £8.50
3. 45c
4. £230.00
5. 80c
6. £30.75
7. £22.80
8. £350.00
9. £13.65
10. 20c

2. Gofyn i wahanol aelodau o'r dosbarth adrodd y pris sydd ganddyn nhw bob tro i gael gweld sut hwyl a gafwyd ar y dasg.

23.6 Gwaith pâr - Siop y Llan (15 munud)

Dilyn y cyfarwyddiadau yn y llyfr cwrs. Y parau i drafod y prisiau i gyd wedyn ar ôl casglu'r wybodaeth er mwyn cymharu'r hyn a ysgrifennwyd â'r pris sydd gan y partner ar y daflen.

23.7 Deialog (20 munud)

Dilyn y drefn arferol wrth gyflwyno / ymarfer / disodli / perfformio'r ddeialog.

Nod: Trafod Iechyd a Strategaethau Cyfathrebu

Pwyntiau gramadegol sy'n codi

- **Mae ... gyda fi / Mae gen i ...** ar gyfer rhannau o'r corff sy'n dost
- **Mae fy .... i'n brifo** hefyd yn y Gogledd
- **Mae ... arna i** ar gyfer cyflwr neu anhwylder (De)
- Treiglo **tost** (De) os yw'r rhan o'r corff yn fenywaidd

Trefn yr Uned (De)

24.1 Cyflwyno patrymau 1.
24.2 Trafod salwch - Rhannau o'r corff
24.3 Cyflwyno patrymau 2.
24.4 Holiadur patrymau 2. a Chymysgu patrymau 1. a 2.
24.5 Cyflwyno patrymau 3.
24.6 Pelmanism
24.7 Llenwi bylchau yn y ddeialog

Trefn yr Uned (Gogledd)

Oherwydd bod patrymau'r Gogledd yn wahanol, bydd angen cyflwyno patrymau 1. a 2. ac yna drafod y Rhannau o'r corff.

Adnoddau i'w paratoi

- **Cyflwyno patrymau 1.** Cardiau fflach parod i'w defnyddio ar ddiwedd yr uned hon.
- **Cyflwyno patrymau 2.** Cardiau fflach parod i'w defnyddio ar ddiwedd yr uned hon.
- **Pelmanism.** Cardiau parod ar ddiwedd yr uned hon - angen set i bob pâr.

24.1 Cyflwyno patrymau 1. (15-20 munud)

1. Cyflwyno'r dril sydd yn y llyfr cwrs, yna symud ymlaen i gyflwyno'r cardiau fflach. Bydd angen nodi bod **tost** yn treiglo i **dost** os yw'r gair yn fenywaidd (De). Hefyd, eu hatgoffa nad patrwm newydd mo hwn - cyflwynwyd: 'Mae car gyda fi ... / Mae gen i gar' (treiglad meddal) ac ati yn Uned 9. Yn y Gogledd, mae'r patrwm 'Mae fy nghlust i'n brifo' yn ddefnyddiol hefyd ac yn gyfle i adolygu'r treiglad trwynol ar ôl 'fy'.

2. Gellir chwarae gêm cuddio / dyfalu pa gerdyn sydd gan y tiwtor er mwyn atgyfnerthu'r patrymau.
3. Gellir gwahodd aelodau o'r dosbarth i feimio salwch hefyd i ymarfer y cwestiwn: 'Oes .... gyda ti? / Oes gen ti ...?'

24.2 Trafod Salwch - Rhannau o'r corff (15 munud)

1. Mynd dros yr eirfa sydd ar labeli'r 'corff' yn y llyfr cwrs.
2. Parau i ddefnyddio'r ymarfer drwy holi 'Beth sy'n bod arnat ti?' y tro cyntaf ac yna dyfalu 'Oes ... gyda ti? / Oes gen ti ...?' ac 'Ydy dy - di'n brifo?' (Gogledd) yr ail dro.

24.3 Cyflwyno patrymau 2. (15 munud)

Cyflwyno'r patrwm yn y llyfr cwrs ac ymestyn eto drwy ddefnyddio'r cardiau fflach a meim.

24.4 Holiadur patrymau 2. a Chymysgu patrymau 1. a 2. (20 munud)

1. Rhoi cerdyn i bob un yn y dosbarth sy'n nodi pa salwch sydd arno / arni.
2. Pawb i fynd o gwmpas yn holi hyd at 8 o bobl.
3. Dod â phawb at ei gilydd a mynd dros yr holiadur drwy holi:
   'Beth sy'n bod ar Jeff?' - 'Mae annwyd a gwres arno fe. / Mae gynno fo annwyd a gwres.'
   'Oes peswch ar Jeff hefyd? / Oes gan Jeff beswch hefyd?' - 'Nac oes, does dim peswch arno fe / Does gynno fo ddim peswch.'
4. Symud ymlaen wedyn gan ddefnyddio'r cardiau fflach i gymysgu patrymau 1. a 2. (er mwyn atgyfnerthu'r gwahaniaeth rhwng y ddau batrwm yn y De).

24.5 Cyflwyno patrymau 3. (10-15 munud)

1. Cyflwyno'r patrymau yn y llyfr cwrs. Bydd y cystrawennau'n gyfarwydd, ond bydd peth o'r eirfa'n anghyfarwydd.
2. Gellir cyflwyno ambell air fel sbardun:
   'sillafu' - Sut dych /dach chi'n sillafu ... yn Gymraeg?
   'Beth?' - Beth yw / Be' ydy .... yn Gymraeg?
   'araf' - Yn araf, os gwelwch yn dda.
   'mae'n flin / ddrwg ...' - Mae'n flin gyda fi / Mae'n ddrwg gen i, ond dw i ddim yn deall / dallt.

24.6 Pelmanism (10 munud)

1. Rhannu'r dosbarth yn barau. Rhoi set o gardiau i bob un.
2. Pawb i gymysgu cardiau a'u rhoi wyneb i waered ar y bwrdd. Parau i ddilyn y drefn arferol wrth geisio dod o hyd i'r frawddeg a'r cyfieithiad sy'n cyfateb i'w gilydd. Rhaid darllen y frawddeg yn uchel bob tro.

24.7 Llenwi bylchau yn y Ddeialog (20 munud)

1. Darllen drwy'r ddeialog gyda phawb. Gwneud yn siŵr fod pawb yn deall beth yw natur y dasg, sef rhoi'r brawddegau yn y blwch yn y mannau cywir yn y ddeialog.
2. Rhannu'r dosbarth yn barau i wneud y dasg.
3. Wrth i barau orffen, gwneud yn siŵr eu bod wedi gwneud y dasg yn gywir cyn rhoi cyfle iddynt ymarfer y ddeialog a chyfnewid rhannau er mwyn dod yn gyfarwydd â rhannau Carol a Dai. Fydd dim angen disodli, ac mae'r ddeialog hefyd dipyn yn hwy na'r arfer, ond mae'n gyfle i weld y brawddegau Strategaethau Cyfathrebu mewn cyd-destun (a gwybod beth yw *hip* yn Gymraeg).
4. Dyma'r allwedd:
   - (1) Mae'n flin gyda fi, ond dw i ddim yn deall. / Mae'n ddrwg gen i, ond dw i ddim yn deall.
   - (2) Sut dych chi'n sillafu'r ddannodd? / Sut dach chi'n sillafu'r ddannodd?
   - (3) Ydw i'n iawn?
   - (4) Ond dw i ddim yn gwybod sut i ddweud hynny yn Gymraeg
   - (5) Beth yw *hip* yn Gymraeg? / Be' ydy *hip* yn Gymraeg?
   - (6) Yn araf, os gwelwch yn dda.

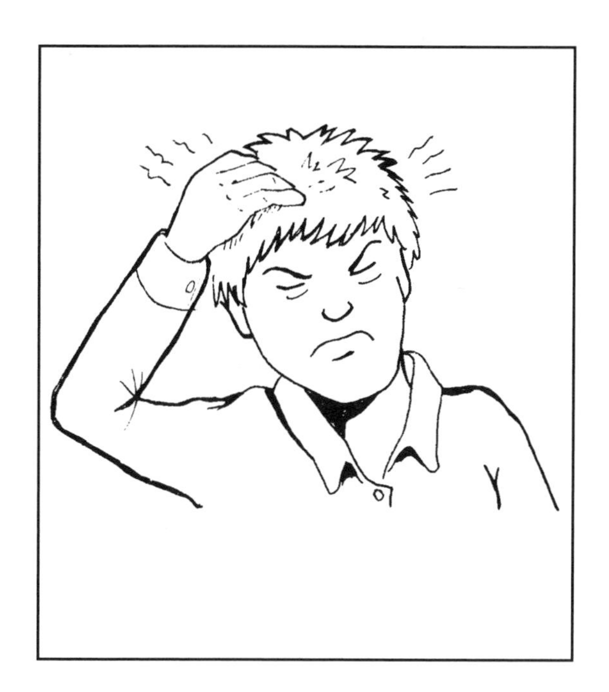

Cardiau ar gyfer yr Holiadur (20 cerdyn) - fersiwn y De

Mae annwyd ac mae peswch arnoch chi.	Mae ffliw arnoch chi.
Mae gwres ac mae peswch arnoch chi.	Mae'r ddannodd arnoch chi.
Mae'r ddannodd ac mae gwres arnoch chi.	Mae peswch arnoch chi.
Mae gwres ac mae ffliw arnoch chi.	Mae gwres arnoch chi.
Mae annwyd ac mae gwres arnoch chi.	Mae annwyd arnoch chi.

Mae annwyd, peswch a gwres arnoch chi.

Mae ffliw ac mae annwyd arnoch chi.

Mae gwres ac mae ffliw arnoch chi.

Mae'r ddannodd arnoch chi.

Mae'r ddannodd ac mae annwyd arnoch chi.

Mae peswch arnoch chi.

Mae gwres ac mae peswch arnoch chi.

Mae gwres arnoch chi.

Mae annwyd, gwres a'r ddannodd arnoch chi.

Mae annwyd arnoch chi.

24.8 Cardiau Pelmanism (fersiwn y De)

Beth yw ...... yn Gymraeg, os gwelwch chi'n dda?	*What's ..... in Welsh, please?*
Mae'n flin gyda fi, dw i ddim yn deall.	*I'm sorry, I don't understand.*
Sut dych chi'n sillafu .... ?	*How do you spell ......?*

Ydw i'n iawn?

Am I right?

Dw i ddim yn gwybod sut i ddweud hynny yn Gymraeg.

I don't know how to say that in Welsh.

Yn araf, os gwelwch chi'n dda.

Slowly, please.

24.8 Cardiau ar gyfer yr Holiadur (20 cerdyn) (fersiwn y Gogledd)

Mae gynnoch chi annwyd ac mae gynnoch chi beswch.	**Mae gynnoch chi ffliw.**
Mae gynnoch chi wres ac mae gynnoch chi beswch.	**Mae gynnoch chi ddannodd.**
Mae gynnoch chi ddannodd ac mae gynnoch chi wres.	**Mae gynnoch chi beswch.**
Mae gynnoch chi wres ac mae gynnoch chi ffliw.	**Mae gynnoch chi wres.**
Mae gynnoch chi annwyd ac mae gynnoch chi wres.	**Mae gynnoch chi annwyd.**

Mae gynnoch chi annwyd, peswch a gwres.

Mae gynnoch chi ffliw ac annwyd.

Mae gynnoch chi wres a ffliw.

Mae gynnoch chi ddannodd.

M... dda... g... a...

...ae gynnoch chi beswch.

Mae gy... wres a... mae gynnoch chi beswch.

Mae gynnoch chi wres.

Mae gynnoch chi annwyd a gwres ac mae gynnoch chi ddannodd.

Mae gynnoch chi annwyd.

Tud 104 - 05.
1 set.
106/8 - 09.
5 set.
10 Tud 53
10 Tud 57.

24.8 Cardiau Pelmanism (fersiwn y Gogledd)

Be' ydy ...... yn Gymraeg, os gwelwch chi'n dda?	*What's ..... in Welsh, please?*
Mae'n ddrwg gen i, dw i ddim yn deall.	*I'm sorry, I don't understand.*
Sut dach chi'n sillafu .... ?	*How do you spell ......?*

Ydw i'n iawn?

Am I right?

Dw i ddim yn gwybod sut i ddweud hynny yn Gymraeg.

I don't know how to say that in Welsh.

Yn araf, os gwelwch chi'n dda.

Slowly, please.

Nod: Adolygu ac ymestyn

Trefn yr Uned

25.1 Adolygu patrymau 1.
25.2 Holiadur gwyliau
25.3 Darllen yn uchel
25.4 Adolygu patrymau 2.
25.5 Gêm y caffi*
25.6 Adolygu patrymau 3.
25.7 Darn darllen a llenwi grid
25.8 Adolygu patrymau 4.
25.9 Gwrando*
25.10 Edrych dros yr ymarferion yn y Pecyn Ymarfer* a'r Rhestr gyfair

***Cynllun Achredu Rhwydwaith y Coleg Agored**

25.5 **Gêm y caffi** - Lefel 1, Siarad - Anghenion a hoffter, 1.1, 1.2, 1.3
25.9 **Gwrando** - Lefel 1, Gwrando - Gwybodaeth bob dydd - 1.1. Mae'r tâp / CD yn cynnwys neges ar beiriant ateb a hysbyseb.
Pecyn Ymarfer - Lefel 1, Ysgrifennu - Sieciau, ffurflenni a nodyn, 2.1 Llenwi ffurflenni syml a ddefnyddir yn gyson.

Adnoddau i'w paratoi

- **Gêm y caffi** - Arian mân a disiau i bob pâr.

25.1 Adolygu patrymau 1. (10+ munud)

Cyflwyno'r patrwm, ac adolygu geirfa uned 21 hefyd. Symud ymlaen i holi cwestiynau i baratoi'r dosbarth ar gyfer y dasg nesaf.

25.2 Holiadur gwyliau (15+ munud)

1. Cyflwyno'r grid a mynd dros y cwestiynau sydd i'w holi:

Ble? Ble / Lle aethoch chi ar eich gwyliau y llynedd?
Sut le? Sut le yw ....?
Gwesty? Sut roedd y gwesty?
Bwyd? Sut roedd y bwyd?
Tywydd? Sut roedd y tywydd? / Sut dywydd gaethoch chi?

25.3 Darllen yn uchel (10+ munud)

1. Y tiwtor i ddarllen y darn yn uchel a phawb yn ailadrodd pob brawddeg ar ei (h)ôl yn uchel.
2. Pawb yn cael ychydig funudau i ddarllen y darn yn dawel ar eu pennau eu hunain a chyfle i holi'r tiwtor am unrhyw eiriau maen nhw'n ansicr o ran eu hynganu. Nid oes angen manylu ar ystyr geiriau unigol anghyfarwydd.
3. Rhannu'r dosbarth yn drioedd a phob un yn y grŵp yn cymryd brawddeg ar y tro i'w darllen yn uchel.
4. Mynd o gwmpas i gywiro'r ynganu ac ati. Dod â phawb yn ôl at ei gilydd a holi unigolion (heb fod mewn unrhyw drefn benodol) i ddarllen brawddeg ar y tro.
5. Annog pawb i ymarfer y darn gartref o flaen y drych.

25.4 Adolygu patrymau 2. (5-10 munud)

1. Mynd dros y patrwm i baratoi pawb ar gyfer gêm y caffi.
2. Gwneud yn siŵr fod pawb yn gwybod sut i holi am y ddiod maen nhw'n ei hoffi fel arfer - e.e. te heb laeth na siwgr - gan fod hyn yn codi ar sgwâr **Eich dewis chi**

25.5 Gêm y caffi (10-15 munud)

Dosbarthu'r disiau i bob pâr. Darllen y cyfarwyddiadau fel bod pawb yn gwybod beth i'w wneud a thynnu sylw at yr allwedd.

25.6 Adolygu patrymau 3. (10 munud)

Mae'r patrymau yn y presennol a'r amherffaith - gellid atgoffa pawb o batrymau a geirfa Uned 24 a chyfuno hynny â defnyddio'r amherffaith.

25.7 Darllen a llenwi grid (15+ munud)

1. Gellir gwneud y dasg hon fel gweithgaredd dosbarth gan mai dyma'r tro cyntaf y bydd y dysgwyr wedi gweld darn mor helaeth o destun. Dyma enghraifft o'r math o beth y gellid ei ddisgwyl yn yr arholiad Mynediad.
2. Ar ôl darllen y ddeialog fel dosbarth, gall parau fynd ati i lenwi'r grid.
3. Galw pawb yn ôl at ei gilydd i fynd dros yr atebion.

25.8 Adolygu patrymau 4. (10 munud)

Mae enghreifftiau yma o ddulliau eraill o ofyn am bris rhywbeth (dim ond 'Faint yw ....' a gyflwynwyd yn Uned 23.)

25.9 Gwrando (10+ munud)

Y tro yma, yn hytrach na mynd dros y cwestiynau, dilyn trefn debyg i'r arholiad Mynediad:

1. Chwarae'r darnau, heb ganiatáu i'r dysgwyr weld y cwestiynau.
2. Caniatáu i'r dysgwyr weld y cwestiynau, a chwarae'r darnau eto. Rhoi amser iddyn nhw ateb cwestiynau yr un pryd.
3. Chwarae'r darn cyntaf yn unig **(Neges ar beiriant ateb)** a rhoi munud neu ddwy iddyn nhw ateb cwestiynau 1 – 4.
4. Yna chwarae'r ail ddarn **(Hysbyseb ar y radio)** a rhoi munud iddyn nhw ateb cwestiynau 5 a 6.
5. Yna, chwarae'r cyfan eto a rhoi 2 funud iddyn nhw edrych dros eu hatebion.

25.10 Edrych dros yr ymarferion yn y Pecyn Ymarfer a'r Rhestr gyfair (5+ munud)

Mae'r **Pecyn Ymarfer** yn cynnwys **enghreifftiau o'r arholiad Mynediad**, felly byddai'n syniad edrych dros yr ymarferion. Mae'r elfen llenwi bylchau'n gyfarwydd, ond ni fydd dysgwyr wedi gorfod ysgrifennu cerdyn post o'r blaen. Mae'r ffurflen yn dasg i ateb gofynion Cynllun Achredu Rhwydwaith y Coleg Agored.

Y Sgript Gwrando

Neges ar beiriant ateb

Helo, Marian. Delyth sy 'ma, sut wyt ti? Es i / Mi es i i'r dre bore 'ma. Prynais i gryno ddisg a llyfr / Mi wnes i brynu cryno ddisg a llyfr. Roedd y cryno ddisg yn costio £10.95 a'r llyfr yn costio £6.00. Wyt ti'n dod / dŵad heno i'r gyngerdd/cyngerdd? Ces i / Mi ges i docyn bore 'ma. Ffonia fi os wyt ti eisiau/isio dod /dŵad. Hwyl - Delyth.

Hysbyseb ar y radio

Heno, mae'r cyngerdd yn neuadd y dref Aberhonddu yn dechrau am 8 o'r gloch. Yr artistiaid fydd Timothy Evans a Chôr Tŷ Tawe. Pris y tocynnau yw / ydy £5.50. Croeso i bawb.

Nod: Disgrifio golwg rhywun a disgrifio eich cartref

Pwyntiau gramadegol sy'n codi

- **Sawl** + enw unigol (cymharer **Faint o blant...** yn Uned 9)
- **Ystafell** yn enw benywaidd unigol

Trefn yr Uned

26.1 **Cyflwyno patrymau 1.**
26.2 **Trafod lluniau**
26.3 **Tynnu llun**
26.4 **Cyflwyno patrymau 2.**
26.5 **Holiadur pedwar person**
26.6 **Darllen a llenwi grid**
26.7 **Deialog**

Adnoddau i'w paratoi

- **Cyflwyno patrymau 1.** Cardiau fflach parod i'w defnyddio ar ddiwedd yr uned hon. Bydd angen lliwio llygaid yn las / brown / gwyrdd yn ôl yr angen.
- **Tynnu llun** - Pensiliau, pensiliau lliw + creonau i bob pâr (i roi lliw i lygaid a gwallt, ac o bosib ambell drwyn coch)
- **Cyflwyno patrymau 2.** Cardiau fflach parod i'w defnyddio ar ddiwedd yr uned hon.

Cofiwch y bydd cyfle ym mhob gwers o hyn ymlaen i adolygu'r amser Gorffennol drwy sgwrsio am beth mae aelodau'r dosbarth wedi ei wneud yn ystod yr wythnos. Gallwch roi cyfle iddynt eich holi chi hefyd!

26.1 Cyflwyno patrymau 1. (15-20 munud)

1. Bydd y patrymau eisoes yn gyfarwydd; yr eirfa a'r cyd-destun fydd yn newydd.
2. Defnyddio'r cardiau fflach i gyflwyno'r eirfa ac atgyfnerthu'r patrwm yr un pryd - e.e. 'Mae gwallt golau gyda hi / Mae gynni hi wallt golau.' 'Oes mwstas gyda fe / Oes gynno fo fwstash?'
3. Gellir chwarae gêm cuddio /dyfalu pa gerdyn sydd gan y tiwtor er mwyn atgyfnerthu'r gwaith. Rhaid i'r dysgwyr roi brawddeg bob tro - e.e. 'Mae gwallt hir gyda hi / Mae gynni hi wallt hir.' 'Oes barf gyda fe / Oes gynno fo locsyn?'

26.2 Trafod lluniau (15+ munud)

1. Mynd dros y cwestiynau sydd ar ben y dudalen a rhoi cynnig ar un neu ddwy enghraifft arall fel dosbarth cyn rhannu'r dosbarth yn barau i holi cwestiynau i'w gilydd.
2. Gellid dod â'r dosbarth at ei gilydd eto i roi cynnig ar ambell enghraifft arall.

26.3 Tynnu llun (10+ munud)

1. Cyflwyno'r gweithgaredd sydd yn y llyfr cwrs. Mynd dros y gosodiadau a'r cwestiynau a gyflwynwyd yn Uned 21 (Cyflwyno Patrymau 2.) hefyd - Mae e'n / o'n dal / fyr, Ydy e'n/o'n olygus?
2. Rhannu'r dosbarth yn barau, gan bwysleisio nad oes gan neb hawl i dynnu llun y tiwtor. Darparu pensiliau lliw / creonau fel bo'r angen.
3. Parau i ddangos eu lluniau i weddill y dosbarth, a'u disgrifio'n fyr.

26.4 Cyflwyno patrymau 2. (10+ munud)

Cyflwyno'r patrymau gan ddefnyddio'r cardiau fflach, yna gofyn cwestiynau 'Sawl...' ac 'Oes ...' i'r dosbarth er mwyn eu paratoi ar gyfer yr holiadur.

26.5 Holiadur pedwar person (15 munud)

1. Mynd dros y cwestiynau sydd i'w gofyn a phwysleisio bod yn rhaid eu gofyn yn llawn. Ni fydd 'Sawl ystafell wely?' yn ddigon – rhaid cael y cwestiwn cyfan, felly hefyd 'Oes garej gyda chi? / Oes gynnoch chi garej?'
2. Pawb i fynd o gwmpas i holi ei gilydd; yna dod â phawb yn ôl er mwyn ymarfer y trydydd person, 'Sawl .... sy gyda / gan Susan?', 'Oes lolfa fawr gyda Phil? / Oes gan Phil lolfa fawr?'
3. Trefnu parti yn nhŷ'r person sydd â phwll nofio.

26.6 Darllen a llenwi grid (15 munud)

1. Mae hwn yn gyfle i ymarfer y math o gwestiwn a allai godi yn yr arholiad Mynediad (Darllen) fel dosbarth.
2. Y tiwtor i ddarllen y frawddeg gyntaf bob tro, a phawb i ailadrodd fel corws.
3. Gellir ailddarllen y darn gydag unigolion yn darllen brawddeg ar y tro.
4. Rhannu'r dosbarth yn barau i wneud y dasg. Rhoi ychydig funudau iddyn nhw.
5. Mynd dros yr atebion a datrys unrhyw broblemau.

26.7 Deialog (20 munud)

Cyflwyno / Ymarfer / Disodli / Perfformio'r ddeialog fel arfer.

Cardiau fflach patrymau 1.
gwallt hir, tywyll

gwallt byr, tywyll

gwallt golau

gwallt cyrliog

trwyn hir + llygaid glas

trwyn smwt + llygaid brown

mwstash

sbectol

barf/locsyn

sgarff + clustdlysau

Cardiau fflach patrymau 2.

ystafell ymolchi

cegin

lolfa/ystafell fyw

ystafell fwyta

gardd

garej

Nod: Dweud beth dych / be' dach chi'n gallu/medru wneud a pha mor aml dych/dach chi'n gwneud rhywbeth

Pwyntiau gramadegol sy'n codi

- Os bydd rhywun yn gofyn, mae'r cwestiwn 'Beth dych / Be' dach chi'n gallu wneud' yn cynnwys 'ei' cudd sydd wedi achosi i 'gwneud' dreiglo.
- Negyddol y ferf gyda byth – 'Dyw e / Dydy o byth yn mynd.'
- Canu offeryn cerdd
- Mae modd ateb cwestiwn 'Pa mor aml....?' gyda'r ateb heb roi brawddeg lawn: 'Byth / Bob dydd.'
- Adolygu'r presennol

Trefn yr Uned

27.1 **Cyflwyno patrymau 1.**
27.2 **Trafod lluniau**
27.3 **Trafod beth mae pobl eraill yn gallu/medru wneud**
27.4 **Cyflwyno patrymau 2.**
27.5 **Gêm - Pa mor aml dych/dach chi'n ....?**
27.6 **Deialog**

Adnoddau i'w paratoi

- **Gêm - Pa mor aml dych/dach chi'n ...?** Papur sgrap maint A4 wedi ei dorri yn ei hanner (bydd angen tua 30 darn A4, o bosib, i'w rhannu rhwng pob tîm a'r sawl sy'n ateb y cwestiwn) er mwyn ysgrifennu atebion arnyn nhw.

27.1 Cyflwyno patrymau 1. (15+ munud)

Cyflwyno'r patrwm fel y mae yn y llyfr cwrs, yna ymestyn i adolygu personau eraill y ferf (gweler y patrwm yn yr adran Gramadeg) ac adolygu / cyflwyno geirfa yn ôl anghenion y dosbarth.

27.2 Trafod lluniau (15 munud)

1. Rhannu'r dosbarth yn barau.
2. Mynd dros y cwestiynau sydd i'w gofyn a'r lluniau: coginio; gyrru (car); chwarae golff; canu'r piano; tynnu llun/peintio; siarad Sbaeneg; sgïo; nofio.

3. Pawb i adrodd yn ôl wedyn er mwyn ymarfer y trydydd person. Y tiwtor i ofyn:
   Ydy .... yn gallu / medru canu'r piano? i gael yr ymatebion:
   Ydy, mae ..... yn gallu / medru canu'r piano.
   Nac ydy, dyw / dydy .... ddim yn gallu/medru canu'r piano.

   A hefyd:
   Beth mae .... yn gallu / medru wneud? i gael yr ymatebion:
   Mae .... yn gallu / medru coginio, gyrru a chanu'r piano, ond dyw e / dydy hi ddim yn gallu/medru siarad Sbaeneg, tynnu llun a chwarae golff.

27.3 Trafod beth/be' mae pobl eraill yn gallu / medru wneud (15+ munud)

1. Cyfle i grwpiau o dri drafod pobl eraill (er na chosbir neb sy'n siarad amdano ei hun); a chyfle hefyd i adolygu'r rhagenw - **fy** + treiglad trwynol.
2. Rhannu'r dosbarth yn grwpiau o dri, yna'r tiwtor i sôn am bobl mae hi/e/o'n eu nabod:
   e.e. Mae fy chwaer i'n gallu / medru siarad Eidaleg.
   Mae fy mrawd i'n gallu / medru chwarae rygbi / gwyddbwyll.
   Mae fy ffrind i'n gallu / medru codi waliau cerrig.
3. Annog y grwpiau i drafod yn yr un modd a gweld i ba raddau maen nhw'n gallu ymestyn y sgwrs drwy holi mwy o gwestiynau – 'Ble / Lle mae dy .... yn byw / gweithio?' 'Oes ...... gyda dy .... / Oes gen dy ....?'
4. Mae'n debyg y bydd tipyn o eirfa'n codi. Mynd o gwmpas hefyd i holi rhai cwestiynau ychwanegol.
5. Dod â phawb yn ôl at ei gilydd i sôn am unrhyw ddarganfyddiadau diddorol.

27.4 Cyflwyno patrymau 2. (15+ munud)

1. Ar ôl cyflwyno'r cwestiwn a'r atebion, gellir mynd o gwmpas yn gofyn cwestiynau am ddiddordebau'r dosbarth (adolygu gwaith Uned 8) a'u holi wedyn 'Pa mor aml dych / dach chi'n ....?'
2. Pwysleisio nad oes rhaid rhoi brawddeg lawn yn ateb, ond wrth ateb yn llawn gyda **byth**, bod angen y ferf yn y negyddol: 'Dyw / Dydy hi byth yn mynd i nofio.'
3. Gwahodd pobl i ofyn cwestiynau i'w gilydd yn ogystal.

27.5 Gêm - Pa mor aml dych/dach chi'n ....? (20 munud +, yn dibynnu ar faint y dosbarth a'r hwyl a geir)

1. Rhannu'r dosbarth yn dimau o 3 neu 4. Cadw sgôr rywle ar y bwrdd du / gwyn.
2. Ysgrifennu'r 'ffrâm' hwn - **Pa mor aml mae .... yn .....?** ar y bwrdd du, a hefyd yr ymatebion posibl mewn bocs: **bob dydd, ambell waith/weithiau, byth, bob wythnos, unwaith yr wythnos / y mis / y flwyddyn, yn aml.**
3. Dosbarthu papur sgrap i bob tîm.
4. Dylid ceisio gwneud y gêm hon yn un hwyliog drwy esgus mai rhaglen deledu yw hi a chreu ychydig bach o awyrgylch sioe: 'Croeso i'r gêm **Pa mor aml?** Dyma ni yn y dosbarth Cymraeg yn .... Mae ...... tîm gyda ni, a'r cynta i ddod ymlaen at y bwrdd du yw ...' Gofyn cwestiynau i bob cystadleuydd hefyd - 'Ble dych / dach

chi'n byw / gweithio? Dych / dach chi'n hoffi byw yn ….? Dych / Dach chi'n gallu / medru nofio, Huw? Oes plant gyda chi / Oes gynnoch chi blant?' ac ati.

5. Gofyn am gynrychiolydd o un tîm ar y tro i ddod ymlaen at y bwrdd du. Dewis cwestiwn yn ôl y person - dyma enghreifftiau posib:

i. Pa mor aml dych/dach chi'n mynd i'r llyfrgell?
ii. Pa mor aml dych/dach chi'n golchi'r car?
iii. Pa mor aml dych/dach chi'n mynd ar y trên / bws?
iv. Pa mor aml dych/dach chi'n mynd ar wyliau?
v. Pa mor aml dych/dach chi'n gwario dros £100?
vi. Pa mor aml dych/dach chi'n darllen llyfr?
vii. Pa mor aml dych/dach chi'n gwylio S4C?
viii. Pa mor aml dych/dach chi'n glanhau'r tŷ? (cwestiwn da i'w ofyn i rai dynion)
ix. Pa mor aml dych/dach chi'n bwyta ma's / allan?
x. Pa mor aml dych/dach chi'n mynd i'r sinema?
xi. Pa mor aml dych/dach chi'n rhegi? (cwestiwn i 'gymeriad' y dosbarth, efallai)
xii. Pa mor aml dych/dach chi'n siarad Cymraeg?
xiii. Pa mor aml dych/dach chi'n mynd dramor?
xiv. Pa mor aml dych/dach chi'n rhoi lifft yn y car i ffrind?
xv. Pa mor aml dych/dach chi'n mynd ar y beic?
xvi. Pa mor aml dych/dach chi'n gweld y newyddion ar y teledu?
xvii. Pa mor aml dych/dach chi'n gwrando ar y radio?
xviii. Pa mor aml dych/dach chi'n yfed dŵr?
xix. Pa mor aml dych/dach chi'n bwyta cyri?
xx. Pa mor aml dych/dach chi'n mynd i weld perthnasau?
xxi. Pa mor aml dych/dach chi'n chwarae tenis / pêl-droed?
xxii. Pa mor aml dych/dach chi'n gweld gêm rygbi / bêl-droed?

6. Dweud y cwestiwn yn uchel wrth y cystadleuydd wrth y bwrdd du, a llenwi'r 'ffrâm' ar y bwrdd du - Pa mor aml mae **Huw** yn **glanhau'r tŷ?**
7. Rhoi darn o bapur i'r cystadleuydd ysgrifennu ei ateb arno, a phob tîm i ymgynghori i ddyfalu pa ateb mae e / o wedi ei roi ac ysgrifennu'r geiriau'n unig - **byth**, **weithiau** (neu'r frawddeg lawn gyda dosbarth da).
8. Y tiwtor i holi pob tîm i ddatgelu eu hateb fesul un, gan ddefnyddio: Mae Huw yn glanhau'r tŷ **bob dydd** / Dyw / Dydy Huw **byth** yn glanhau'r tŷ ac ati, ac yna, gyda'r tensiwn yn cynyddu, mynd at y cystadleuydd iddo ef/hi ddatgelu ei ateb.
9. Pob tîm a oedd yn gywir i sgorio pwynt. Cyfeirio at y pwyntiau ar ddiwedd pob 'rownd'.
10. Dewis cystadleuydd a brawddeg arall nes bod y rhan fwyaf/pawb o'r dosbarth wedi cael cyfle i fod yn gystadleuwyr (yn dibynnu ar amser / awydd pawb).

27.6 Deialog

Cyflwyno / Ymarfer / Disodli / Perfformio'r ddeialog fel arfer.

Nod: Trafod llefydd/lleoedd
(a chyflwyno *wedi* a *ro'n i*)

Pwyntiau Gramadegol sy'n codi

- Does dim angen **yn** neu **'n** gyda phatrwm **wedi**. Mae hwn yn gamgymeriad cyffredin.
- Mae **erioed** yn gallu golygu *ever* neu *never* yn yr enghreifftiau a gyflwynir. Does dim angen tynnu sylw at hyn os na fydd rhywun o'r dosbarth yn mynnu codi'r cwestiwn!
- Mae **Sut** yn gallu golygu *What sort of?* o flaen geiriau fel 'lle' neu 'person'. Mae'n achosi Treiglad Meddal.
- Mae dysgwyr yn cael trafferth gwahaniaethu rhwng y presennol perffaith (Dw i wedi gweld) a'r gorffennol (Gwelais i / Mi wnes i weld). Dylid sefydlu'r gwahaniaeth rhwng y ddau yn fuan.

Trefn yr Uned

28.1 **Cyflwyno patrymau 1.**
28.2 **Holiadur**
28.3 **Cyflwyno patrymau 2.**
28.4 **Battleships**
28.5 **Cyflwyno patrymau 3.**
28.6 **Dyfalu**
28.7 **Cyflwyno patrymau 4.**
28.8 **Cerdyn post - Darllen yn uchel**
28.9 **Gwaith pâr - Rhoi rhesymau**
28.10 **Deialog**

Adnoddau i'w paratoi

- **Cyflwyno patrymau 1.** Mae'n ddefnyddiol iawn hel set o gardiau post o leoedd egsotig! Gellir defnyddio lluniau o gatalogau gwyliau neu gylchgronau'r Sul wrth gwrs.

- **Cyflwyno patrymau 4.** Mae angen llungopïo'r ddalen sy'n cyfleu tost/sâl, wedi blino ac ati a'u defnyddio wrth gyflwyno'r patrymau.

Cyfarwyddiadau

Cofiwch ddechrau'r wers drwy holi'r dysgwyr am eu hanes, beth wnaethon nhw dros y penwythnos, beth maen nhw'n ei wneud ar hyn o bryd.

28.1 Cyflwyno patrymau 1. (15+ munud)

Dylid cyflwyno'r patrymau newydd fel y maent yn y llyfr cwrs. Yna, gellir rhoi'r cardiau post i gyd ar y llawr neu ar y bwrdd a gofyn am wirfoddolwyr i ofyn cwestiwn: 'Wyt ti wedi bod yn ..... erioed?'

28.2 Holiadur (15 munud)

1. Gwneud yn siŵr bod pawb yn deall y dasg ac yn gallu meddwl am ddau le yng Nghymru.
2. Ymarfer y cwestiynau a'r Treiglad Trwynol angenrheidiol wrth fynd o gwmpas.
3. Dweud wrth bawb am godi ar ei draed a gofyn i bum person, gan dicio'r ateb priodol yn y colofnau.

28.3 Cyflwyno patrymau 2. (15+ munud)

1. Cyflwyno'r patrymau sydd yn y llyfr cwrs.
2. Ar ôl cyflwyno, edrych ar yr wybodaeth a gasglwyd yn holiadur 28.2. Gofyn i bartneriaid edrych ar holiaduron ei gilydd a gofyn cwestiwn, e.e. 'Ydy XX wedi bod yn ZZ?' Rhaid i'r partner roi'r ateb llawn.

28.4 Battleships (15 munud)

1. Gofynnwch i bawb dicio 3 lle ar y map, yna mynd i eistedd wrth bartner newydd.
2. Nod y gêm yw dyfalu pa dri a diciwyd gan y partner, drwy ofyn 'Ydy John/Margaret wedi bod yn...?'
3. Does dim angen poeni os byddan nhw'n anghofio'r Treiglad Trwynol gydag enwau llefydd (ac eithrio Caerdydd a Chaeredin, wrth gwrs).

28.5 Cyflwyno patrymau 3. (10 munud)

Cyflwyno'r brawddegau a'r cwestiwn, **Sut le...?** fel y maent yn y llyfr cwrs.

28.6 Dyfalu (10 munud)

1. Gofynnwch i bawb roi enw un lle diddorol y mae wedi bod ynddo rywbryd ar ddarn bach o bapur (heb ddangos i neb). Casglwch y papurau a'u rhoi mewn het neu fag. Yna, gofynnwch i wirfoddolwr ddod ymlaen a dewis un cerdyn. Y nod yw bod y gwirfoddolwr yn dyfalu pwy oedd wedi ysgrifennu'r enw ar y papur, drwy ofyn 'Wyt ti wedi bod yn....?' Ar ôl darganfod pwy, gellir holi ymhellach – 'Sut le oedd ...?'
2. Mae'n siŵr y byddwch chi'n cofio rhai o'r lleoedd y mae unigolion wedi sôn amdanynt o wersi blaenorol neu o'r holiadur ar ddechrau'r uned, felly gofynnwch 'Sut le oedd Dubai?' 'Sut le oedd Rhyl?' Gellir ychwanegu ansoddeiriau os oes gwir angen!

28.7 Cyflwyno patrymau 4. (10 munud)

Defnyddio'r wynebau ar y ddalen nesaf fel fflachgardiau wrth ddrilio. Os oes modd, dylid gwneud digon o setiau fel bod parau'n gallu defnyddio'r rhain wrth ymarfer y brawddegau.

28.8 Cerdyn post

Ymarfer i'r cof yw hwn i raddau helaeth. Rhaid darllen y cerdyn post a roddir yn uchel yn gyntaf i sefydlu'r patrymau. Yna, rhaid meddwl am eiriau addas i'w rhoi yn lle'r geiriau a danlinellir. Rhaid i bawb roi'r cerdyn newydd ar gof. Does dim angen gorfodi pawb i 'berfformio' y cerdyn post newydd - bydd hyn yn tanseilio hyder rhai. Fodd bynnag, gellir gofyn am wirfoddolwyr ac ar ôl iddynt ddweud y darn, gellir gofyn cwestiynau i weddill y dosbarth, e.e. 'Ble / Lle aeth Tom?' 'Sut roedd y tywydd?' 'Ble / Lle aeth e/o neithiwr?' 'Beth gaeth e? / Be' gaeth o?'

28.9 Rhoi rhesymau

Gwaith pâr yw hwn. Symudwch bawb o gwmpas fel bod ganddynt bartner newydd. Yna, rhaid meddwl am esgus neu reswm pam aethon nhw neu pam nad aethon nhw i'r lleoedd gwahanol, e.e.'Aethoch chi i Alaska?' 'Naddo - roedd e / o'n rhy oer.' Ar ôl i'r parau orffen, gellir gofyn y cwestiynau i'r dosbarth cyfan a gwahodd unrhyw esgusodion neu resymau y maen nhw wedi meddwl amdanynt.

28.10 Deialog

Cyflwyno / Ymarfer / Disodli / Perfformio'r ddeialog fel arfer.
Os bydd rhywun yn gofyn pam mae 'blynyddoedd' yn treiglo, yr ateb yw ei fod yn ymadrodd adferfol, yn disgrifio pryd digwyddodd rhywbeth, ond peidiwch tynnu sylw ato!

Cardiau fflach

Nod: Trafod cynlluniau

Pwyntiau gramadegol sy'n codi

- Dyfodol 'bod'
- Byddi / Mi fyddi **di** - nid **ti** (cymharer: Cest / Mi gest ti, Rwyt ti)
- Bydda / Na fydda; Bydd / Na fydd

Trefn yr Uned

29.1 Cyflwyno patrymau 1.
29.2 Cwestiwn i bawb
29.3 Cyflwyno patrymau 2. a mynd dros atebion Cwestiwn i bawb
29.4 Dyddiadur Person enwog
29.5 Cyflwyno patrymau 3.
29.6 Trefnu gwyliau
29.7 Deialog

Adnoddau i'w paratoi

- **Cwestiwn i bawb** - Llungopïo'r cwestiynau ar gerdyn neu ludio copi papur ar gardiau unigol.

29.1 Cyflwyno patrymau 1. (15+ munud)

Cyflwyno'r patrwm fel y mae yn y llyfr cwrs, a dechrau gofyn cwestiynau dilys i unigolion er mwyn cael atebion 'Bydda / Na fydda'.

29.2 Cwestiwn i bawb (15 munud) (E.H.)

1. Paratoi set o gwestiynau (gw. diwedd canllawiau'r uned) ar gyfer pawb yn y dosbarth - un cwestiwn yr un.
2. Dosbarthu un cerdyn i bawb, a gofyn iddyn nhw ddysgu eu cwestiwn.
3. Gofyn i bawb fynd o gwmpas yn holi ac yn cofnodi'r atebion yn y llyfr cwrs.
4. Casglu'r cwestiynau.
5. Peidio mynd dros yr atebion - cadw hynny tan ar ôl Cyflwyno patrymau 2.

29.3 Cyflwyno patrymau 2. a mynd dros atebion Cwestiwn i bawb (15-20 munud)

1. Cyflwyno'r patrwm, yna codi pecyn cardiau **Cwestiwn i bawb** a'u cymysgu.
2. Dweud eich bod yn mynd i holi am y bobl yn y dosbarth.
3. Mynd drwy'r cwestiynau a holi cwestiynau fel:

    Fydd X yn siarad Cymraeg cyn y dosbarth nesa?
    Pwy fydd yn prynu dillad yr wythnos yma?
    Pwy fydd ddim yn gwrando ar y radio heno? ac yn y blaen.

29.4 Dyddiadur Person enwog (15+ munud) (addasiad o syniad E.H.)

1. Pawb i roi enw i'w person enwog.
2. Unigolion i lenwi'r dyddiadur yn ôl y cyfarwyddiadau, fel bod 3 chyfnod rhydd.
3. Dod â'r dosbarth yn ôl at ei gilydd a holi cwestiynau fel:
   Beth yw enw'r person enwog?
   Pryd bydd e /o neu hi'n cwrdd â ....?
   Beth fydd e / o / hi'n wneud prynhawn dydd Mercher?
   Pryd mae e / o / hi'n mynd ar y teledu?

29.5 Cyflwyno patrymau 3. (15 munud)

Cyflwyno'r patrwm ac adolygu enwau'r misoedd, gwledydd a dulliau o deithio yn ogystal - ym mis Awst/i Ffrainc, i Norwy, i America/ar y trên, ar y bws, mewn tacsi

29.6 Trefnu gwyliau (15 munud)

1. Cyfle yma i adolygu 'Dych chi'n hoffi (yr Eidal/Sbaen/Paris)?' ac ati.
2. Dilyn y canllawiau yn y gwerslyfr. Parau i ateb y cwestiynau, yna gofyn y cwestiynau i bâr arall a chofnodi'r atebion.
3. Dod â phawb yn ôl at ei gilydd a'r tiwtor yn gofyn cwestiynau i un pâr am barau eraill.
4. Nid oes disgwyl i'r dosbarth allu ateb cwestiynau caeëdig, 'Fyddwch chi... / Fyddan nhw....?' sy'n gofyn am atebion 'Byddwn / Na fyddwn' neu 'Byddan / Na fyddan.'

29.7 Deialog (15 – 20 munud)

Cyflwyno / Ymarfer / Disodli / Perfformio'r ddeialog fel arfer.

29.2 - Cwestiwn i Bawb

Fyddwch chi gartre/adre erbyn 10 heno?

Fyddwch chi i mewn nos yfory?

Fyddwch chi'n edrych ar opera sebon yr wythnos yma?

Fyddwch chi yn y gwely cyn un ar ddeg heno?

Fyddwch chi'n prynu'r *Western Mail/Daily Post* yfory?

Fyddwch chi'n mynd ar wyliau eleni?

Fyddwch chi'n prynu dillad yr wythnos yma?

Fyddwch chi'n prynu cylchgrawn yr wythnos yma?

Fyddwch chi'n codi cyn saith bore yfory?

Fyddwch chi'n mynd i weld ffrindiau dros y penwythnos?

Fyddwch chi'n edrych ar chwaraeon ar y teledu yr wythnos yma?

Fyddwch chi'n edrych ar S4C yr wythnos yma?

Fyddwch chi'n chwarae rhyw gêm yr wythnos yma?

Fyddwch chi'n gwrando ar y Frenhines ddydd Nadolig?

Fyddwch chi'n bwyta pasta nos yfory?

Fyddwch chi'n siarad Cymraeg cyn y dosbarth nesa?

Fyddwch chi'n mynd i'r dafarn yr wythnos yma?

Fyddwch chi'n cael bath neu gawod heno?

Fyddwch chi'n gwrando ar gerddoriaeth yr wythnos yma?

Fyddwch chi'n mynd ar y bws yr wythnos yma?

Fyddwch chi'n golchi'r car dros y penwythnos?

Fyddwch chi'n prynu blodau yr wythnos yma?

Nod: Adolygu ac ymestyn

Trefn yr Uned

30.1 Adolygu patrymau 1.
30.2 Trafod llun
30.3 Siôn a Siân
30.4 Darllen yn uchel
30.5 Partneriaid yn holi ei gilydd
30.6 Darllen a deall: Arwyddion
30.7 Adolygu patrymau 2.
30.8 Gwrando
30.9 Edrych dros y gwaith yn y Pecyn Ymarfer* a'r Rhestr gyfair

***Cynllun Achredu Rhwydwaith y Coleg Agored**
Y Pecyn Ymarfer - Lefel 1, Darllen - Gwybodaeth bob dydd - 1.4 Codi manylion penodol o hysbysiadau am adloniant

Adnoddau i'w paratoi

Dim

30.1 Adolygu patrymau 1. (10+ munud)

Adolygu'r patrymau'n drwyadl. Cynnwys geirfa o'r unedau blaenorol hefyd wrth ddrilio.

30.2 Trafod llun (10-15 munud)

1. Enghraifft o'r arholiad Mynediad. Ymarfer ysgrifenedig yw hwn yn yr arholiad, ac mae enghraifft arall yn y Pecyn Ymarfer. Dyma gyfle i fagu hyder drwy drafod mewn parau.
2. Ceisio peidio â rhoi gormod o gymorth, ond gellid rhoi enghraifft arall ar y bwrdd du (a gofyn am ddwy frawddeg) cyn i'r parau edrych ar yr enghraifft yn y llyfr cwrs.
3. Mae lle i ysgrifennu o dan yr enghraifft. Annog pawb i wneud popeth ar lafar gyda'r partner.
4. Mynd dros y gwaith ac ysgrifennu'r brawddegau 'cywir' ar y bwrdd du - cyfle wedyn i bawb ysgrifennu yn eu llyfr cwrs fel bod enghraifft gywir yn batrwm parod ganddynt.

30.3 Siôn a Siân (15+ munud)

1. Gofyn am bâr i wirfoddoli i fod yn Siôn a Siân ac un person i roi swm y jacpot ac i gadw sgôr ar y bwrdd du / gwyn.
2. Dilyn fformat y rhaglen deledu boblogaidd gynt - ac esgus bod y cyfan yn cael ei recordio'n fyw. Croesawu'r gynulleidfa a'r pâr gyda'i gilydd, a'u holi - 'Ble / Lle buoch chi ar eich gwyliau ddiwetha?' 'Gaethoch chi amser da?' 'Faint o blant sy gyda chi / gynnoch chi?' 'Ble dych/Lle dach chi'n byw / gweithio. O ble/le dych / dach chi'n dod / dŵad yn wreiddiol?'
3. Gofyn i'r gynulleidfa am gwestiynau i'r pâr hefyd fel nad ydyn nhw'n ymlacio gormod.
4. Pwysleisio faint o arian sydd yn y jacpot - a'r person sy'n cadw sgôr i'w roi ar y bwrdd du. Dweud bod £100 am bob ateb cywir.
5. Anfon un partner allan o'r ystafell, a gofyn 3 chwestiwn i'r partner arall. Rhaid iddo/iddi ddewis un ateb, a'r tiwtor i'w nodi.
6. Y partner yn dychwelyd, yn ateb y tri chwestiwn fesul un a'r person sy'n cadw sgôr i ychwanegu at y swm maen nhw wedi'i ennill bob tro y ceir cwestiwn yn gywir.
7. Yr ail bartner i fynd allan a dilyn yr un broses - gofyn 3 chwestiwn, nodi'r atebion a'r ail bartner i ddychwelyd i ateb y cwestiynau.

Dyma enghreifftiau o gwestiynau posibl:

1. Ydy X yn gallu/medru siarad iaith arall, ar wahân i / heblaw am Saesneg a Chymraeg?

    (a) Ydy, yn rhugl
    (b) Ydy, dim ond rhai geiriau
    (c) Nac ydy

2. Pa mor aml mae X yn smwddio?

    (a) Unwaith yr wythnos
    (b) Dwywaith yr wythnos
    (c) Byth

3. I ble aeth X ar ei wyliau ddiwetha?

    (a) I America
    (b) I Ewrop
    (c) I Gymru

4. Ydy X yn gallu/medru chwarae pocer?

    (a) Ydy
    (b) Nac ydy

(c) Ddim yn siŵr

5. Pa mor aml mae X yn darllen llyfr?

(a) Bob wythnos
(b) Bob blwyddyn
(c) Dyw e / Dydy o ddim yn gallu/medru darllen

6. I ble aeth X ddydd Sadwrn?

(a) I'r wlad
(b) I'r dre
(c) I'r dafarn

30.4 Darllen yn uchel (10+ munud)

1. Y tiwtor i ddarllen y darn yn uchel a phawb yn ailadrodd pob brawddeg ar ei (h)ôl yn uchel.
2. Pawb yn cael ychydig funudau i ddarllen y darn yn dawel ar eu pennau eu hunain a chyfle i holi'r tiwtor am unrhyw eiriau maen nhw'n ansicr ynghylch eu hynganu. Nid oes angen manylu ar ystyr geiriau unigol anghyfarwydd.
3. Rhannu'r dosbarth yn drioedd a phob un yn y grŵp yn cymryd brawddeg ar y tro i'w darllen yn uchel.
4. Mynd o gwmpas i gywiro'r ynganu ac ati. Dod â phawb yn ôl at ei gilydd a holi unigolion (heb fod mewn unrhyw drefn benodol) i ddarllen brawddeg ar y tro.
5. Annog pawb i ymarfer y darn gartref o flaen y drych.

30.5 Partneriaid yn holi ei gilydd (10-15 munud)

1. Enghraifft arall o'r arholiad Mynediad. Bydd yn rhaid i'r partneriaid gymryd arnynt mai nhw yw'r 'Arholwr' yn eu tro. Mynd dros y cyfarwyddiadau a cheisio peidio â rhoi gormod o gymorth ymlaen llaw, er bod enghraifft o'r math o beth a ddisgwylir yn y llyfr cwrs hefyd.
2. Ar ôl i'r parau roi cynnig ar y dasg, mynd dros y cwestiynau fel dosbarth gan fod nifer o ddewisiadau posibl.

30.6 Darllen a deall: Arwyddion (5-10 munud)

Enghraifft o'r arholiad Mynediad. Gellir gwneud y dasg hon fel dosbarth er mwyn i bawb fagu hyder.

30.7 Adolygu patrymau 2. (5-10 munud)

Adolygu'r patrymau a gofyn rhai cwestiynau yn y dyfodol hefyd i unigolion yn y dosbarth.

30.8 Gwrando (10+ munud)

Dilyn y drefn a nodir yn y llyfr cwrs – mae'n dod o bapur enghreifftiol.

30.9 Edrych dros y gwaith yn y Pecyn Ymarfer a'r Rhestr gyfair (5 + munud)

Mynd dros yr ymarferion yn y Pecyn Ymarfer (efallai bydd amser i wneud rhai tasgau yn y wers ei hun). Enghreifftiau o'r arholiad Mynediad yw'r rhan fwyaf. Mae'r hysbyseb yn dasg sy'n ateb gofynion Cynllun Achredu Rhwydwaith y Coleg Agored.

Sgript Gwrando

Fersiwn y De

Hysbysiadau

A dyma'r digwyddiadau yn eich ardal chi yr wythnos yma.

Nos Fawrth, bydd cyngerdd yn Neuadd Ysgol Dewi Sant gydag artistiaid lleol. Bydd y cyngerdd yn dechrau am hanner awr wedi saith. Pris y tocynnau yw tair punt.

Bydd cawl a chân yn Neuadd y Dre nos Wener, gyda'r ddeuawd Elwyn a Helen yn diddanu. Bydd y noson yn dechrau am wyth o'r gloch ac mae'r tocynnau'n costio pum punt, yn cynnwys cawl a phice bach.

Mae cwis yn y clwb rygbi nos Fercher, gyda'r cwisfeistr Arwyn Daniels. Rhaid i bob tîm dalu dwy bunt i gystadlu. Dewch yn llu erbyn hanner awr wedi wyth.

Bydd Ffair Nadolig yn yr ysgol gynradd nos Iau i godi arian i gael bws mini. Pris mynediad yw pum deg ceiniog, ac mae'r ffair yn dechrau am chwech o'r gloch. Croeso i bawb.

Os dych chi'n hoffi dawnsio, beth am ddod i'r Twmpath Dawns nos Sadwrn yn y Ganolfan Hamdden. Bydd y grŵp gwerin 'Y Brain' yn chwarae, a bydd y noson yn dechrau am wyth o'r gloch. Ffoniwch 01792 309488 i gael tocynnau. Pris y tocynnau yw pum punt pum deg ceiniog, yn cynnwys bwffe.

Fersiwn y Gogledd

Hysbysiadau

A dyma'r digwyddiadau yn eich ardal chi yr wythnos yma.

Nos Fawrth, mi fydd cyngerdd yn Neuadd Ysgol Dewi Sant efo artistiaid lleol. Mi fydd y cyngerdd yn dechrau am hanner awr wedi saith. Pris y tocynnau ydy tair punt.

Mi fydd cawl a chân yn Neuadd y Dre nos Wener, gyda'r ddeuawd Elwyn a Helen yn diddanu. Mi fydd y noson yn dechrau am wyth o'r gloch ac mae'r tocynnau'n costio pum punt, yn cynnwys cawl a chacennau.

Mae cwis yn y clwb rygbi nos Fercher, efo'r cwisfeistr Arwyn Daniels. Rhaid i bob tîm dalu dwy bunt i gystadlu. Dewch yn llu erbyn hanner awr wedi wyth.

Mi fydd Ffair Nadolig yn yr ysgol gynradd nos Iau i godi arian i gael bws mini. Pris mynediad ydy pum deg ceiniog, ac mae'r ffair yn dechrau am chwech o'r gloch. Croeso i bawb.

Os dach chi'n hoffi dawnsio, be' am ddŵad i'r Twmpath Dawns nos Sadwrn yn y Ganolfan Hamdden. Mi fydd y grŵp gwerin 'Y Brain' yn chwarae, ac mi fydd y noson yn dechrau am wyth o'r gloch. Ffoniwch 01792 309488 i gael tocynnau. Pris y tocynnau ydy pum punt pum deg ceiniog, yn cynnwys bwffe.

CANLLAWIAU ATODIAD Y GWEITHLE: MYNEDIAD

Mae'r gweithgareddau a'r tasgau yn Atodiad y Gweithle i'w defnyddio yn ogystal â'r gweithgareddau sydd yn y cwrs craidd. Wrth reswm, mae pob gweithle'n wahanol ac anghenion y bobl sy'n gweithio yn amrywio'n fawr. Canllaw yw'r Atodiad felly, i'r tiwtor gymhwyso'r cwrs craidd a theilwra'r dysgu i anghenion dosbarthiadau yn y gweithle. Dylid dewis a dethol o'r gweithgareddau hyn a'u plethu i'r dysgu arferol, lle bydd hynny'n bosibl.

Weithiau, bydd yr Atodiad yn cynnwys fersiynau gwahanol o'r un gweithgareddau ag a geir yn y cwrs craidd, ond wedi eu haddasu i adlewyrchu geirfa gyffredinol gweithleoedd. Yn aml, mae rhai nodau yn y cwrs craidd sy'n hynod bwysig ym mhob cyd-destun, yn cynnwys y gweithle, e.e. trafod y tywydd, ac felly nid oes 'cymhwysiad' yn bosibl.

Heblaw am gyrsiau sy'n ateb gofynion cyfyng a phenodol iawn, e.e. ateb y ffôn mewn derbynfa, mae anghenion pobl sydd eisiau defnyddio'r Gymraeg mewn gweithle mor wahanol i'w gilydd â'r swyddi y maen nhw'n eu gwneud. Yn aml, mater o gyflwyno'r eirfa ychwanegol yw darparu ar gyfer dysgwyr gwahanol, ac mae hynny'n rhywbeth y mae tiwtor yn ei wneud beth bynnag, wrth ddysgu unrhyw ddosbarth.

Uned 1

Nod: Ynganu

Dilyn patrwm y cwrs craidd ond gan ymarfer yr arwyddion sydd i'w gweld yn y swyddfa yn ogystal â'r rhai ar dudalen 5 y cwrs.

Bydd angen gwneud copi ymlaen llaw o unrhyw arwyddion Cymraeg sydd i'w gweld yn y gweithle penodol.

Uned 2

Nod: Cyfarch a chyflwyno, Rhifo 1-10, Dyddiau'r wythnos

Dilyn patrwm y cwrs craidd hyd at **2.12 Cyflwyno'r ddeialog**, ond gan gynnwys y set: 'Croeso ...' wrth gyflwyno **2.3** a chael y dosbarth i'w defnyddio wrth wneud gweithgaredd **2.4.**

Uned 3

Nod: Gofyn am wybodaeth sylfaenol a'i rhoi

3.2 Trafod rhifau ffôn
Dylid cyflwyno'r gair 'estyniad'. Mae colofn wedi ei chynnwys yn y gweithgaredd.

3.7 Cyflwyno: '........ dw i'
Bydd modd manylu tipyn mwy ar swyddi pobl fan hyn. Mae'r ystyron yn yr Eirfa.

3.8 Cyflwyno: 'Dw i'n gweithio yn/mewn ...'
Ceir llawer mwy o fanylu yn y brawddegau sy'n cael eu cynnig yn yr Atodiad. Awgrymiadau yn unig ydynt. Bydd angen cymhwyso i'r sefyllfa waith lle mae'r cwrs yn cael ei gynnal.

Uned 4

Nod: Gofyn am wybodaeth sylfaenol am berson arall a'i rhoi

Gwaith paratoi adnoddau ychwanegol

- Cardiau fflach ag enwau gwahanol swyddi o fewn y gweithle gan fod y cardiau sydd yn y cwrs craidd yn rhy gyffredinol.

4.2 Cyflwyno: 'Beth yw ei rif ffôn e / ei rhif ffôn hi?' / 'Be' ydy ei rif ffôn o/ei rhif ffôn hi?'
Dylid cyflwyno 'rhif ei estyniad / rhif ei hestyniad'. Mae colofn wedi ei chynnwys yn y gweithgaredd.

4.4 Cyflwyno enwau gwahanol alwedigaethau a gêm ddyfalu
Dylid cymhwyso'r enwau i fod yn berthnasol i'r sefyllfa waith lle mae'r cwrs yn cael ei gynnal. Bydd angen paratoi cardiau'n cynnwys symbolau ac ati sy'n cyfleu'r gwahanol swyddi o fewn y gweithle.

4.6 Gêm Gylch
Bydd modd manylu tipyn mwy ar swyddi pobl fan hyn.

4.8 Deialog
Mae'r ddeialog yn wahanol i'r un sydd yn y cwrs craidd. Dylid paratoi aelodau'r dosbarth ymlaen llaw ar gyfer y gwaith disodli drwy wneud yn siŵr eu bod yn gyfarwydd â phosibiliadau disodli sy'n berthnasol i'w gweithle nhw.

Uned 5

Nod: Adolygu ac ymestyn

5.2 Eich diffinio eich hunan

Bydd cyfle yma, ar ôl drilio'r patrwm, i fanylu mwy ar waith / swyddogaeth waith aelodau'r dosbarth.

Mae'r grid 'Pwy dych/dach chi?' ychydig yn wahanol yn yr Atodiad er mwyn holi'r cwestiwn: 'Pwy dych/dach chi yn y gwaith?'

Gyda pwy dych / Efo pwy dach chi'n gweithio?

Mae'r rhain yn batrymau ychwanegol. Rhowch ddigon o gyfle i'r dysgwyr eu hymarfer, gyda chi, a chyda phartner, cyn symud ymlaen at y Sgwariau Sydyn a Fy Ffrind Gorau, sy'n fersiynau arbennig ar gyfer y gweithle.

Uned 6

Nod: Trafod cynlluniau syml

Bydd angen sicrhau bod yr eirfa a gyflwynir yn addas i ddibenion y gweithle.

Uned 7

Nod: Siarad am y tywydd

Dylid dilyn yr uned fel y mae yn y cwrs craidd. Ceir tasg arbennig i'w chwblhau yn y gweithle fel bod y dysgwyr yn dod yn gyfarwydd â siarad am y tywydd bob dydd â rhywun.

Uned 8

Nod: Siarad am ddiddordebau

Dilyn yr uned fel y mae yn y cwrs craidd, ond gellir gwneud yr ymarfer hwn yn lle unrhyw un o'r ymarferion neu fel tasg atodol.

1. Trafod fel dosbarth pa fath o dasgau maen nhw'n gorfod eu gwneud yn y gwaith. Mae'n bosib iawn y bydd y tasgau'n amrywio o unigolyn i unigolyn o fewn y grŵp, e.e. rheolwr neu dderbynnydd swyddfa; doctor neu ysgrifenyddes ward mewn ysbyty. Nodi'r rheiny ar y bwrdd du / gwyn.
2. Os yw hynny'n ymarferol bosib, dod â pharau sydd â dyletswyddau tebyg at ei gilydd a gofyn iddyn nhw eu trafod i weld pa rai maen nhw'n eu hoffi / ddim yn eu hoffi.
3. Parau i lenwi'r grid. Dod â'r dosbarth yn ôl at ei gilydd i drafod a pharau i gyflwyno'r wybodaeth am yn ail i'r dosbarth.
   Mae cyfle i unigolion gofnodi hyn yn unigol gan ddefnyddio 'Dw i'n hoffi ...ond dw i ddim yn hoffi ...'.

Uned 9

Nod: Siarad am eiddo

9.2 **Trafod lluniau.** Mae rhai lluniau y gellir eu defnyddio yn hytrach na'r lluniau yn y cwrs craidd. Gyda rhai gweithleoedd, e.e. yn y maes meddygol / croesawiaeth ac arlwyo, bydd angen trafod ymlaen llaw yr eirfa sy'n berthnasol iddyn nhw a gwneud rhestr.

Gêm: Teuluoedd Dedwydd/'Happy Families' (E.D.)

1. Bydd angen paratoi cardiau, pedwar cerdyn ar gyfer pob gair sy'n berthnasol i'r gweithle o dan sylw, fel bod un gair i bob dysgwr yn y dosbarth.
2. Cymysgu'r pecyn a dosbarthu'r cardiau ar hap.
3. Pawb yn ei dro yn gofyn i unrhyw un yn y dosbarth: 'Oes problem gyda ti, Tom?' neu 'Oes gen ti broblem, Tom?' Os oes, rhoi'r cerdyn a chyfnewid am un diangen. Os nad oes, rhaid dweud: 'Nac oes, does dim problem gyda fi.' neu 'Nac oes, does gen i ddim problem.' Ceisio casglu setiau o bedwar.
4. Enghreifftiau o eiriau perthnasol i wahanol weithleoedd:

Swyddfa	Iechyd a Gofal	Croesawiaeth ac Arlwyo	Bancio a Swyddfa Post	Siopa a Masnachu
gwaith diddorol gwaith ffeilio copi o'r ddogfen beiro dyddiadur syniad da cyfarfod problem amser i siarad munud	apwyntiad poen pen tost braich dost coes dost bola tost tabledi plant ymwelwyr help yn y tŷ problem amser i siarad munud	lle tocyn ystafell sengl ystafell ddwbl allwedd cesys problem cyllell fforc llwy taflenni car munud bwyty	arian parod sieciau teithio ffurflen Gymraeg stampiau problem amser i siarad munud arian tramor apwyntiad taflenni	cerdyn credyd llyfr siec diddordeb problem amser i siarad arian mân newid munud beiro taflenni

Uned 10

Nod: Adolygu ac ymestyn

Holiadur
Mae fersiwn gwahanol ar gyfer y gweithle. Mae angen paratoi'r dosbarth i ofyn y cwestiynau perthnasol.

Uned 11

Nod: Siarad am deulu ac eiddo

11.2 Pwy yw / ydy e / hi/ydy o?
Gellir defnyddio'r ymarfer a'r lluniau sydd yn yr Atodiad yn hytrach na'r rhai sydd yn y cwrs craidd, neu gellir newid yr eirfa yn ôl yr hyn sy'n berthnasol i'r gweithle.

Ceir un dasg i'w chyflawni, gan ddisgwyl i aelodau'r dosbarth holi siaradwyr Cymraeg, naill ai cydweithwyr neu gwsmeriaid/cleientiaid, yn ystod yr wythnos cyn y dosbarth nesa.

Mae un dasg ysgrifenedig sy'n debyg i'r dasg ar ddiwedd yr uned yn y Pecyn Ymarfer a all fod yn fwy perthnasol i'r gweithle.

Uned 12

Nod: Siarad am deulu ac eiddo

12.4 Ble / Lle mae ei ....?
Ar y cyd ag aelodau'r dosbarth, llunio ymarfer pwrpasol i'r gweithle ar y bwrdd gwyn sy'n cyfateb i'r un yn y llyfr cwrs, ond heb y lluniau, wrth gwrs.

12.5 Holi am ffrind
Gellir defnyddio'r ymarfer yn yr Atodiad yn hytrach na'r un sydd yn y cwrs craidd, ac ychwanegu categorïau yn ôl yr hyn sy'n berthnasol i'r gweithle.

Uned 13

Nod: Trafod yr amser

Mae nifer o weithgareddau y gellid eu cyfnewid am unrhyw rai yn y cwrs craidd. Mewn rhai sefyll-faoedd, e.e. o fewn cyd-destun gofal iechyd, bydd angen cymhwyso'r grid cyntaf i adlewyrchu'r patrwm gwaith.

Gallai parau lunio taflen 'Oriau Agor' berthnasol i'r gweithle, yn debyg i'r enghraifft y byddant wedi'i defnyddio eisoes.

Uned 14

Nod: Trafod y gorffennol

14.2 Ble / Lle est ti? Ble / Lle aethoch chi?
Defnyddio'r grid yn yr Atodiad yn lle'r un yn y cwrs craidd. Bydd angen addasu'r eirfa yn ôl y math o weithle.

14.6 Sut dest/ddest ti i'r dosbarth?
Gellir addasu'r dasg hon - 'Sut dest / ddest ti i'r gwaith/cyfarfod?'

Holi'r dysgwyr a allant ddod â llun(iau) o bobl yn eu gwaith gyda/efo nhw ar gyfer gweithgareddau adolygu'r uned nesaf. Efallai y bydd ganddynt luniau parod (partïon gwaith ac ati) neu efallai y bydd rhai â chamera digidol ac yn fodlon tynnu lluniau yn ystod yr wythnos.

Uned 15

Nod: Adolygu ac ymestyn

Yn union fel y cwrs craidd ond gellir addasu'r eirfa i fod yn berthnasol i'r gweithle.

Uned 16

Nod: Dweud beth wnaethoch chi a beth wnaeth pobl eraill

Beth wnaethoch chi ddoe?
Mae'r berfau yma yn berthnasol i nifer o weithleoedd, ond dylid eu cyflwyno yn ychwanegol at Batrymau 2. y cwrs craidd. Paratoi cardiau fflach gyda gwahanol ferfau perthnasol i'r gweithle penodol, e.e. ysgrifennu, darllen, trefnu, paratoi, llungopïo, ffonio, cwrdd, siarad, trafod, trwsio, trin, gyrru, pacio, chwilio, storio, gofalu, bwydo, golchi.

16.7 Dw i eisiau / isio cliw

Gellir rhoi berfau sy'n berthnasol i'r gweithle ar y cardiau fflach.

Cyfarwyddiadau posibl:

- llungopïo'r adroddiad
- gweithio ar y cyfrifiadur
- yfed coffi
- darllen llythyrau
- siarad ar y ffôn
- siarad â'r cleientiaid
- cyrraedd yn hwyr
- cwrdd â chleientiaid newydd
- gweld hen ffrind
- gyrru i gyfarfod

Problem yn y gwaith
Tasg y gellir ei gwneud yn y dosbarth yn barau neu fel gwaith cartref i ymestyn defnydd y dysgwr i'r gweithle. Cynigir cwestiynau cyffredinol yma: efallai y byddant yn llai perthnasol mewn rhai cyd-destunau gwaith, megis maes iechyd a gofal. Bydd angen holi'r dysgwyr am y math o gwestiynau maen nhw'n debygol o'u holi.

Gêm Pelmanism

Gellir chwarae'r gêm hon (awgrymir cardiau posibl yma, ond dylid addasu'r cwestiynau a'r atebion i fod yn berthnasol i'r gweithle penodol) fel ffordd o gyflwyno'r math o iaith a ddefnyddir yng nghyd-destun gwaith. Bydd angen mynd dros yr eirfa cyn cymysgu'r cardiau - un set i bob pâr.

Fersiwn y De

Ble mae Mr Jones?

Cyrhaeddodd e'r swyddfa am ddau o'r gloch.

Ble mae'r llythyr?

Teipiodd Helen y llythyr bore 'ma.

Pryd aeth Rhys i'r cyfarfod?

Aeth e i'r cyfarfod am bedwar o'r gloch.

Ydy Mrs Edwards yn gwybod yr hanes?

Dwedodd Mr Griffiths yr hanes wrth Mrs Edwards ddoe.

Sut daeth e i'r cyfarfod?

Daeth e i'r cyfarfod mewn tacsi.

Pwy wnaeth y coffi bore 'ma?

Gwnaeth Dafydd y coffi bore 'ma.

Gaeth hi'r ddisg?

Do, gaeth hi'r ddisg oddi wrth Helen.

Fersiwn y Gogledd

Lle mae Mr Jones?	Mi wnaeth o gyrraedd y swyddfa am ddau o'r gloch.
Lle mae'r llythyr?	Mi wnaeth Helen deipio'r llythyr y bore 'ma.
Pryd aeth Rhys i'r cyfarfod?	Mi aeth o i'r cyfarfod am bedwar o'r gloch.
Ydy Mrs Edwards yn gwybod yr hanes?	Mi wnaeth Mr Griffiths ddweud yr hanes wrth Mrs Edwards ddoe.

Sut ddaeth o i'r cyfarfod?

Mi ddaeth o i'r cyfarfod mewn tacsi.

Pwy wnaeth y coffi bore 'ma?

Mi wnaeth Dafydd y coffi bore 'ma.

Gaeth hi'r ddisg?

Do, mi gaeth hi'r ddisg oddi wrth Helen.

Uned 17

Nod: Rhoi stori / hanes mewn trefn arbennig

17.4 Rhestr o weithgareddau ar y bwrdd du / gwyn

Dylid addasu'r rhestr hon i adlewyrchu'r gweithgareddau sy'n digwydd yn y gweithle.

17.5 Stori ddoe – stori olynol gan ddefnyddio lluniau

Mae lluniau cyffredinol i'r gweithle yn yr Atodiad. Os yw'r lluniau hyn yn gwbl amherthnasol, gellid cael parau i weithio ymhellach ar y rhestr a ddefnyddiwyd yn **17.4** neu greu rhestr eu hunain.

Trafod eich gyrfa

Gellid defnyddio'r ymarfer hwn yn lle **17.6 - Rhoi stori mewn trefn.**
Gweithio gyda phartner / efo partner a rhannu gwybodaeth yn y 3ydd person â'r dosbarth. Gellid gofyn i unigolion ysgrifennu'r wybodaeth fel gwaith cartref.

Uned 18

Nod: Dweud beth / be' mae'n rhaid ei wneud a beth/be' mae'n rhaid peidio ei wneud

18.6 Cyngor i aelod newydd o staff

Mae hon yn dasg fwy addas i'r gweithle na Cyngor i Colin. Gellir addasu ymhellach yn ôl gofynion y dosbarth.

Bydd tasg yn yr uned adolygu (Uned 20) yn ymwneud â rhoi cyfarwyddiadau i aelodau o'r cyhoedd, gan gyfuno'r gystrawen hon â'r gorchmynion a gyflwynir yn yr uned nesaf (Uned 19).

Uned 19

Nod: Rhoi gorchmynion a chyfarwyddiadau syml

Gwaith paratoi

Paratoi cyfarwyddiadau syml sut i gyrraedd yr ystafell lle cynhelir y dosbarth o'r dderbynfa / maes parcio.

Os yw rhoi cyfarwyddiadau'n rhan bwysig o'r gwaith - e.e. mewn gwesty, canolfan hamdden, ysbyty neu siop - gellid gofyn ymlaen llaw am gynllun o'r adeilad er mwyn paratoi tasgau syml fel tasgau chwarae rhan.

19.3 Rhoi cyfarwyddiadau i leoedd ar fap + Gwaith Pâr

Yn hytrach na'r gweithgaredd hwn, neu'n ychwanegol ato, gallai'r tiwtor baratoi cyfarwyddiadau syml i berson sy'n dod i'r gweithle ac eisiau dod o hyd i'r ystafell lle mae'r dosbarth, er enghraifft. Darllen y cyfarwyddiadau hyn i'r dosbarth a phawb i ddyfalu ble maen nhw wedyn.

Mae tasg yn yr Atodiad i barau lunio cyfarwyddiadau tebyg - parau i gyflwyno'r cyfarwyddiadau i'r dosbarth a phawb i ddyfalu ar y cyd eto, neu gallai parau symud o gwmpas i gwrdd â pharau eraill i roi'r cyfarwyddiadau iddyn nhw.

Mewn gweithleoedd lle mae rhoi cyfarwyddiadau'n bwysicach - e.e. mewn gwesty, canolfan hamdden, ysbyty - gellid treulio mwy o amser ar yr agwedd hon gan ddefnyddio'r cynllun (gweler **Gwaith paratoi** uchod) yn sail i fwy o weithgareddau.

Mae paratoi cyfarwyddiadau i gleientiaid/aelodau'r cyhoedd yn dweud sut i gyrraedd y gweithle o wahanol lefydd yn bosibilrwydd hefyd. Gallai'r tiwtor / aelod o'r dosbarth roi map ar y bwrdd du gan ddilyn cyfarwyddiadau parau ar ôl iddynt gael amser i baratoi gyda'i gilydd.

Uned 20

Nod: Adolygu ac ymestyn

Ar ôl **20.1 Adolygu patrymau 1.**, gellir rhannu'r dosbarth yn barau sy'n ymwneud â'r un math o faes o fewn y gweithle penodol er mwyn trafod beth / be' wnaeth cleient/cwsmer ddoe a rhoi'r cyfan mewn trefn wedyn gan ddefnyddio **ar ôl / cyn**. Os nad yw'r dysgwyr yn ymwneud â chleientiaid / cwsmeriaid yn uniongyrchol, gallent sôn am gydweithiwr arall.

20.5 Rhoi cyngor

Eto, os nad yw'r dysgwyr yn ymwneud â chleientiaid / cwsmeriaid yn uniongyrchol, gallent roi cyfarwyddiadau neu orchmynion i gydweithiwr arall.

Uned 21

Nod: Mynegi barn a disgrifio

Gellir defnyddio'r tasgau yn yr Atodiad yn ychwanegol at y tasgau yn y cwrs craidd neu yn lle un neu fwy ohonynt, er enghraifft yn hytrach na **21.2 Beth / Be' wyt ti'n feddwl o ...**, gellir disgrifio tasgau yn y gweithle, ac yn lle **21.4 Trafod lluniau** gellid disgrifio pobl yn y gwaith.

Os yw disgrifio - e.e. cyfleuster, nwydd neu wasanaeth arbennig - yn rhan o waith dysgwyr y dosbarth, dylid gweithio gyda/efo nhw i baratoi brawddegau sy'n ateb dibenion penodol eu maes nhw, e.e.

Croesawiaeth - disgrifio ystafelloedd gwely mewn gwesty.
Arlwyo - disgrifio seigiau neu brydau bwyd mewn bwyty.
Hamdden - disgrifio cyfleusterau hamdden mewn tref - e.e. pwll nofio, amgueddfa, parc antur.
Gofal - disgrifio cyfleusterau mewn ysbyty / cartref gofal.

Uned 22

Nod: Gofyn am rywbeth a mynegi eisiau

Yn ogystal â'r tasgau ychwanegol, cofiwch hefyd y gall 'Ga' i'ch helpu chi?' fod yn ddefnyddiol iawn mewn sefyllfa waith.

Bwriad y dasg olaf yw cael y dosbarth i feddwl yn fwy penodol eto am gwestiynau'n ymwneud â'u gweithle nhw - gellir rhannu'r dosbarth yn grwpiau eto i gael gweithwyr sy'n gwneud gwaith tebyg yn yr un grŵp. Gellir eu sbarduno i feddwl am gwestiynau y bydden nhw'n gofyn i gleientiaid/cwsmeriaid, neu i gydweithwyr os nad ydyn nhw'n ymwneud yn uniongyrchol â'r cyhoedd.

Uned 23

Nod: Trafod arian

Os oes angen i weithwyr allu gwirio sieciau, gellir ymarfer hynny drwy ddefnyddio'r dasg yn yr Atodiad.

Patrwm yw'r ddeialog y gellir ei ddatblygu ymhellach yn dibynnu ar gyd-destun y gweithle, e.e. bancio/swyddfa post/hamdden/arlwyo/siopa a masnachu.

Uned 24

Nod: Trafod iechyd a Strategaethau cyfathrebu

Mae'r ddeialog yn addas i'r rhan fwyaf o weithleoedd; gellid ei chynnwys yn hytrach na **24.4 Holiadur patrymau 2.**

24.5 Cyflwyno patrymau 3.

Ceir ychydig o ymadroddion ychwanegol yn yr Atodiad a allai fod yn ddefnyddiol lle mae'r dysgwr yn delio â'r cyhoedd yn uniongyrchol yn Gymraeg.

24.6 Pelmanism

Dyma rai cardiau ychwanegol i'w cyflwyno ar gyfer y Pelmanism yn y gweithle:

Fersiwn y De

Dw i ddim yn siarad Cymraeg yn rhugl	*I don't speak Welsh fluently*
Mae rhywun yma sy'n siarad Cymraeg	*There's someone here who speaks Welsh*
Dych chi eisiau siarad â siaradwr Cymraeg?	*Do you want to speak to a Welsh speaker?*

Fersiwn y Gogledd Dim newid ar wahân i

Dach chi isio siarad â siaradwr Cymraeg?

Uned 25

Nod: Adolygu ac ymestyn

Mae tri gweithgaredd ychwanegol at y rhai sydd yn yr uned graidd:

Adolygu cwestiynau - parau i feddwl am gwestiynau'n dechrau mewn rhyw ffordd arbennig, rhai i'w gofyn i gydweithwyr a chleientiaid/cwsmeriaid.

Disgrifio – bydd angen dod â 12 cerdyn gwag i bob grŵp.

Strategaethau cyfathrebu – Adolygu rhai o'r strategaethau a ddysgwyd yn Uned 24.

Uned 26

Nod: Disgrifio golwg rhywun a disgrifio eich cartref

26.3 Tynnu llun - Gellir defnyddio'r gweithgaredd sydd yn yr Atodiad, sef disgrifio bòs neu gydweithiwr, yn hytrach na thynnu llun; neu, wrth gwrs, dynnu llun y bòs neu'r cydweithiwr yn y ffrâm sydd yn yr uned graidd.

26.5 Holiadur Pedwar Person - Mewn rhai gweithleoedd, e.e. maes gwaith cymdeithasol a gofal iechyd, bydd holi am gartref y person yn gwbl berthnasol; mewn gweithleoedd eraill, serch hynny, bydd defnyddio sbardun fel sydd yn yr Atodiad yn fwy perthnasol er mwyn trafod y gwahanol ystafelloedd sydd yn y gweithle ei hun.

Ym maes hamdden, croesawiaeth ac arlwyo, bydd cyfle da yma i gyflwyno geirfa - e.e. bwyty, cyrtiau sboncen ac ati.

Uned 27

Nod: Dweud beth / be' dych/dach chi'n gallu wneud a pha mor aml dych/dach chi'n gwneud rhywbeth

27.2 Trafod lluniau - yn hytrach na defnyddio'r gweithgaredd hwn, gellir defnyddio'r un sydd yn yr Atodiad, er mwyn canolbwyntio ar sgiliau'r gweithle. Bydd y rheiny'n amrywio'n fawr yn ôl y gweithle a'r rhai sy'n mynychu'r dosbarth. Cynnal 'cyfweliad' wedyn gyda'r tiwtor yn gofyn y cwestiynau sydd yn yr Atodiad i unigolion.

27.3 Trafod beth / be'mae pobl eraill yn gallu wneud - yn hytrach na thrafod teulu / ffrindiau, gellir trafod yn uniongyrchol â'r dysgwyr hynny sy'n ymwneud â chleientiaid / cwsmeriaid er mwyn llunio cronfa o frawddegau addas fel a ganlyn, e.e.

Maes Iechyd a Gofal:
Mae'r cleient yn gallu defnyddio ei law dde.
Mae'r cleient yn gallu gwneud bwyd.
Mae e / o / hi'n gallu glanhau'r tŷ.
Mae'r babi'n gallu codi ei ben / cropian / cerdded.
Dych / Dach chi / Wyt ti'n gallu dweud beth yw/be' ydy hwn?

Maes Bancio:
Dych / Dach chi'n gallu newid arian yma.
Dych / Dach chi'n gallu codi arian.
Dych / Dach chi'n gallu gweld y rheolwr heddiw.

Cwestiynau/Gosodiadau Cyffredinol:
Dych / Dach chi'n gallu dod nôl yfory?
Dych / Dach chi'n gallu ffonio nôl?
Dych / Dach chi'n gallu aros (am ddeng munud/tan yfory)?
Dych / Dach chi'n gallu dod/dŵad i mewn i'r swyddfa/banc/siop?
Dych / Dach chi'n gallu talu heddiw?

Dw i ddim yn gallu siarad Cymraeg yn rhugl.
Mae'n ddrwg gen i, ond dw i ddim yn gallu dweud hynny.
Dw i ddim yn gallu ffeindio'r wybodaeth.

27.4 Gêm - Pa mor aml dych/dach chi'n ....?
Gellir addasu'r gêm hon fel bod rhai cwestiynau'n ymwneud â byd y gweithle (neu'r cwestiynau i gyd, o bosib) - e.e. anfon e-bost; ysgrifennu adroddiad, ffonio ffrind o'r gwaith, ffeilio, tacluso, gwneud camgymeriad, ac ati.

Holi cwestiynau 'Pa mor aml....?' yn y gweithle

Bydd cwestiynau **'Pa mor aml ...?'** yn arbennig o addas i ddysgwyr eu gofyn i gleientiaid / cwsmeriaid mewn rhai meysydd galwedigaethol, e.e.

Iechyd a Gofal:

Pa mor aml dych / dach chi'n cael pen tost?
Pa mor aml dych / dach chi'n ymarfer?

Cyffredinol:

Pa mor aml mae hyn yn digwydd?
Pa mor aml dych / dach chi'n dod/dŵad i'r dre / i'r banc?

Uned 28

Nod: Trafod llefydd

Neges ffôn
Y tiwtor i ddarllen 'neges ffôn' a'r dysgwyr i gofnodi'r atebion. Dyma neges bosibl:

John Davies sy yma. Dw i wedi bod mewn cyfarfod yn Abertawe. Mae'n ddau o'r gloch nawr. Dw i'n mynd i weld cleient y prynhawn yma. Nôl yn y swyddfa tua pedwar o'r gloch.

Byddai'n bosibl creu negeseuon tebyg perthnasol i'r gweithle penodol.

Uned 29

Nod: Trafod cynlluniau

29.2 Cwestiwn i bawb

Yn hytrach na gwneud y gweithgaredd hwn, mae enghreifftiau o gwestiynau cyffredinol y gall parau weithio drwyddyn nhw. Neu, os yw'r tiwtor yn gwybod digon am y gweithle, gellir paratoi cwestiynau addas i'r gweithle a dilyn yr un drefn â gweithgaredd yr uned graidd.

29.4 Dyddiadur Person Enwog

Mae fersiwn gwahanol yn yr Atodiad, sef dyddiadur y bòs (addasiad o syniad E.H.)

1. Pawb i roi enw i'w bòs ac yna mynd o gwmpas yn holi cwestiynau fel y rhai yn y llyfr cwrs i drefnu cyfarfod i'w bòs â bosys eraill.
2. Dod â phawb nôl at ei gilydd a holi cwestiynau fel:
   'Beth yw / Be' ydy enw eich bòs chi?'
   'Pryd bydd / fydd eich bòs chi'n cael cyfarfod â bòs rhywun arall?'
   'Beth / Be' fydd eich bòs chi'n wneud prynhawn dydd Mercher?'
   'Pryd mae eich bòs chi yn Llundain / yn chwarae golff?' ac ati.

Uned 30

Nod: Adolygu

Celwydd!

Cyfle i adolygu gwaith yr unedau blaenorol drwy holi ac ateb cwestiynau yng nghyd-destun y gweithle.

Gan ddilyn y cyfarwyddiadau yn yr Atodiad ei hun, penderfynu fel dosbarth ar ryw 6 chwestiwn i'w holi yn y cyfweliad. Dylid cyfeirio'r dosbarth at waith yr unedau sydd newydd gael eu dysgu, er enghraifft:

Dych / Dach chi'n gallu ....?
Pa mor aml dych / dach chi'n ...
Pryd byddwch / fyddwch chi'n *(mynd ar wyliau)*?
Dych / Dach chi wedi bod *(ar gwrs technoleg gwybodaeth)*?

Rhannu'r dosbarth yn grwpiau o 4 / 5 (neu gadw'r dosbarth yn uned os oes llai na 10 yn y dosbarth). Pawb i gymryd ei dro i gael cyfweliad, gan gofio bod rhaid dweud celwydd wrth ateb un cwestiwn. Gweddill y panel i benderfynu beth oedd y celwydd.

Cwestiynau'r cyhoedd

Bydd angen i'r tiwtor feddwl ymlaen llaw fan yma am yr holl gwestiynau (caeëdig ac agored) y gallai'r cyhoedd eu gofyn yng nghyd-destun y gweithle. Mater o adolygu ddylai hyn fod.

e.e. Faint yw / Faint ydy pris ....?
Faint o'r gloch dych/dach chi'n agor / cau?
Pryd mae ...?
Oes ...... gyda chi? / Oes gynnoch chi ...?
Sut un yw / ydy ....?
Fyddwch chi ar agor yfory?
Ga' i siarad â ....?

Rhannu'r dosbarth yn barau i baratoi eu hatebion, a dod â phawb yn ôl at ei gilydd i'w trafod ar y diwedd.

CANLLAWIAU'R ATODIAD I RIENI: MYNEDIAD

Nod yr Atodiad i Rieni yw cyflwyno gweithgareddau a fydd yn galluogi rhieni i ymarfer iaith berthnasol yn y dosbarth er mwyn gallu defnyddio'r un cystrawennau a geirfa gartref gyda'r plant. Gofynnir i diwtoriaid ddarllen y cyngor i rieni o dan y pennawd **Gartre gyda'r plant** ar ddechrau'r Atodiad er mwyn deall y syniadau a awgrymir.

Mae'r gweithgareddau'n gysylltiedig ag unedau'r prif gwrs. Er enghraifft, 3.1 yw'r gweithgaredd cyntaf sy'n gysylltiedig ag Uned 3. Disgwylir i diwtoriaid ddilyn y prif gwrs a'i ganllawiau er mwyn cyflwyno ac ymarfer cynnwys y cwrs, gan blethu gweithgareddau'r Atodiad i Rieni i mewn i'r unedau yn ôl gofynion a dymuniadau'r dosbarth.

Dylid sicrhau bod y dosbarth yn gwneud o leiaf un gweithgaredd o'r Atodiad bob wythnos fel eu bod yn mynd adref yn barod i ymarfer y gweithgareddau cysylltiedig gyda'u plant.

I gyd-fynd â rhai o'r unedau 'Adolygu ac ymestyn', awgrymir eich bod yn mynd â llyfrau plant i mewn i'r dosbarth. Mae llawer o lyfrgelloedd yn barod i chi gael benthyg nifer uwch nag arfer o lyfrau at ddibenion addysgol. Bydd angen gofyn caniatâd ymlaen llaw. Os nad yw hynny'n ymarferol efallai y gallech gael benthyg llyfrau gan ffrindiau.

Wrth ddewis llyfrau, go brin y bydd hi'n bosibl dod o hyd i lyfrau sy'n defnyddio'r union gystrawennau a geirfa sydd yn y cwrs. Nod y gweithgaredd hwn yw sefydlu'r arfer o ddarllen llyfrau Cymraeg gyda'r plant. Mae hefyd yn gyfle i ymarfer ynganu.

Dewiswch lyfrau gyda lluniau mawr a dim ond brawddeg neu ddwy ar bob tudalen. Cyn rhannu'r llyfrau ymhlith y dysgwyr ar gyfer gwaith pâr, gellwch gyflwyno un neu ddau ohonynt i'r dosbarth cyfan. Dangoswch y clawr a'r teitl a gofyn i'r dysgwyr ddyfalu'r stori. Gallant ddefnyddio'r un strategaeth gyda'u plant.

Ar gyfer rhai o'r gweithgareddau gofynnir i chi fynd â theganau neu wrthrychau eraill i'r dosbarth. Os nad oes teganau gyda chi, torrwch luniau o gatalogau.

Ambell waith disgwylir i'r dysgwyr ddod â ffotograffau neu deganau i'r dosbarth. Gallant anghofio! Ewch ag ychydig o bethau i'r dosbarth eich hunan rhag ofn.

Yn y canllawiau mae setiau o luniau ar gyfer gemau Pelmanism ac ati. Weithiau, gofynnir i chi wneud digon o gopïau o'r lluniau hyn i chi allu rhoi copïau i bob aelod o'r dosbarth.

Ar gyfer llawer o'r gweithgareddau bydd angen paratoi casgliad o wrthrychau neu luniau, neu setiau o gardiau a llungopïau ymlaen llaw. Rhestrir y gweithgareddau hynny isod, ond bydd angen darllen yr Atodiad am gyfarwyddiadau pellach.

Adnoddau i'w paratoi

Uned 1 a llawer o unedau eraill

Disiau – un i bob pâr o ddysgwyr. Ewch â'r rhain i bob gwers.

Uned 2

2.4 a 2.5 – Y darnau o bapur maint A4 gydag enwau dyddiau'r wythnos wedi'u hysgrifennu arnynt.

Uned 3

3.1 – hen ffonau neu ffonau tegan neu ffonau symudol aelodau'r dosbarth.

3.3 – Gwneud cardiau Pelmanism trwy lungopïo'r lluniau sydd ar ddiwedd Uned 4 canllawiau'r prif gwrs i'r dysgwyr eu defnyddio gartref.

Uned 4

4.1 – teganau meddal, doliau neu luniau o deganau meddal.

4.2 – lluniau hawdd iawn sydd eu hangen yma, e.e. cwmwl gyda choesau a phen i gynrychioli dafad.

Gofynnwch i'r dysgwyr ddod â ffotograffau o'u teuluoedd i'r wers nesaf.

Uned 5

5.2 – un o'r lluniau a ddefnyddiwyd yn Uned 3 ar gyfer pob aelod o'r dosbarth. Gwaith dychymyg yw llenwi'r proffil.

Llungopïau o'r un lluniau ag yn Uned 3 i'r dysgwyr eu defnyddio gartref. Byddai'r llun yma o ddyn tân yn ddefnyddiol hefyd:

Ewch â llyfrau plant i'r dosbarth. Yn ddelfrydol byddai un llyfr i bob aelod o'r dosbarth, ond os nad yw hynny'n ymarferol, un llyfr rhwng dau neu dri.

Uned 7

7.1 – lluniau o'r tywydd ar ddarnau o bapur maint A4. Bydd y gêm ar dudalen 37 y llyfr cwrs yn rhoi syniadau i chi!

Uned 8

8.2 – cardiau Pelmanism. Llungopïo'r lluniau isod i'r dysgwyr eu defnyddio gartref.

Uned 9

9.2 – gwrthrychau bach, e.e. teganau, crib, afal, pen, pensil, neu luniau ohonyn nhw. Mae angen tua 8 neu 9 gwrthrych neu lun i bob pâr.

Gofynnwch i'r dysgwyr ddod â ffotograffau o'u plant i mewn i'r wers nesaf.

Uned 10

Ewch â llyfrau plant i'r dosbarth.

Gofynnwch i'r dysgwyr ddod â chas gobennydd yr un, ynghyd â thri neu bedwar tegan meddal neu ddoli yr un, i'r wers nesaf.

Uned 11

Ewch ag ychydig o deganau meddal ac yn y blaen rhag ofn i'r dysgwyr anghofio.

Uned 13

Llungopi o dudalen rhaglenni teledu o'r papur newydd. Mae angen copi i bob aelod o'r dosbarth.

Uned 14

Llungopïau o'r lluniau hyn i'r dysgwyr eu defnyddio gartref.

i barti

i nofio

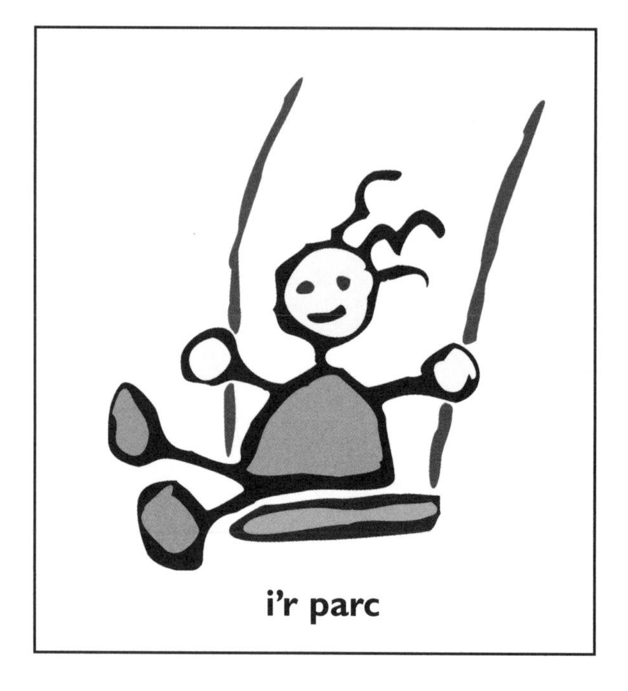

i'r parc

i'r traeth

i ddawnsio

i beintio

i'r gwely

i'r tŷ bach

Uned 15

15.2 – defnyddio'r lluniau sydd yn y canllawiau ar gyfer Uned 14 unwaith eto. Llungopïo a thorri un set o luniau ar gyfer pob pâr.

Uned 16

16.1 – cardiau Pelmanism. Llungopïo'r lluniau hyn i'r dysgwyr eu defnyddio gartref.

Uned 19

19.1 – cot, esgidiau, bag ysgol, llyfr, het, siwmper, tedi, tegan, pêl, jig-so, dol, neu'r lluniau hyn ohonyn nhw:

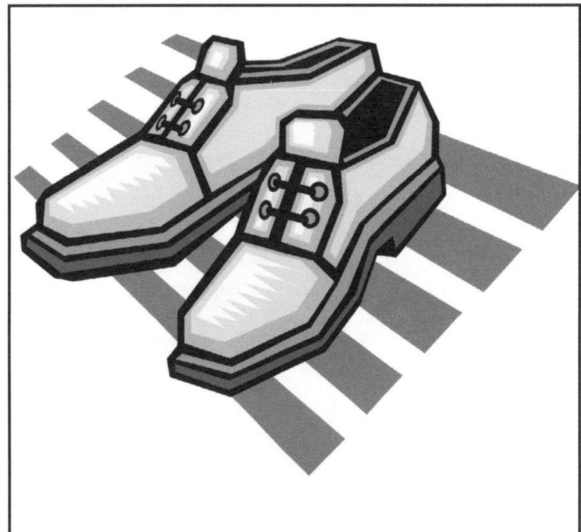

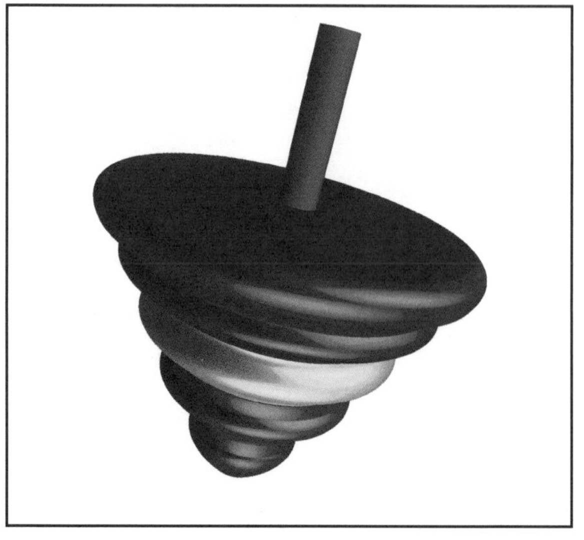

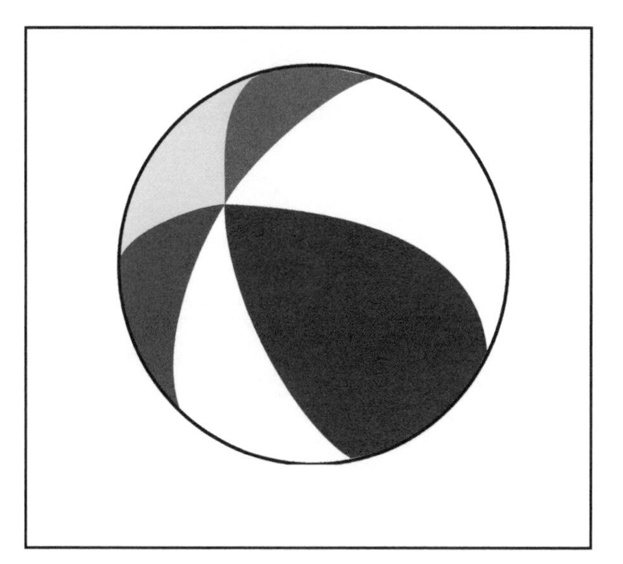

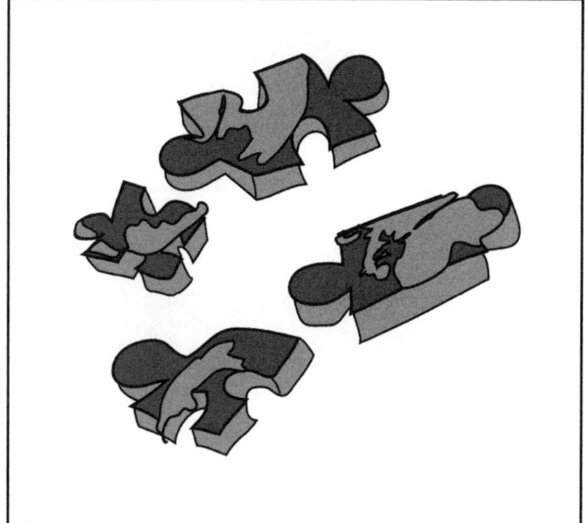

19.2 Cod y Groes Werdd

Copïau o'r cod wedi ei dorri'n frawddegau unigol.

Uned 20

20.2 – paratoi cardiau gorchymyn ac esgus.

Uned 21

21.2 – detholiad lliwgar o deganau a lluniau o deganau.

Uned 22

22.1 – setiau o gardiau lliwiau.

Uned 23

23.1 – darn o bapur plaen a phensil i bob aelod o'r dosbarth. Bydd angen ychydig o arian parod hefyd.

Uned 24

24.3 – cardiau Pelmanism. Llungopïo'r lluniau sydd yng Nghanllawiau'r Cwrs Craidd, Uned 24 i'r dysgwyr eu defnyddio gartref.

Uned 25

25.2 – Tegan dweud ffortiwn – bydd angen un sgwâr o bapur, tua saith modfedd wrth saith modfedd, i bob aelod o'r dosbarth. O dan y fflapiau yn y canol, cewch ymarfer disgrifio, e.e. rwyt ti'n bert/dlws, neu ymarfer siarad am y dyfodol, e.e. rwyt ti'n mynd i'r cylch meithrin.

Plygwch y sgwâr ar letraws. Agorwch y papur. Plygwch ar letraws eto gan gysylltu'r corneli eraill. Agorwch y papur. Mae'r plygiadau'n ffurfio pedwar triongl ar y papur. Nawr plygwch un ymyl i gwrdd â'r ymyl gyferbyn. Agorwch y papur. Plygwch yr ymylon sy'n weddill i gwrdd â'i gilydd. Agorwch y papur. Mae'r plygiadau'n ffurfio croes ar y papur. Yna, plygwch y pedair cornel i mewn i gwrdd â chanol y groes. Trowch y papur drosodd. Mae sgwâr llai o faint gyda chi nawr. Plygwch y pedair cornel i mewn i gwrdd â'r canol. Rhowch fys yr un dan y fflapiau sengl ar yr ochr arall a gwasgwch. Dylech fod wedi creu'r tegan!

25.3 - Llyfrau plant eto.

Gofynnwch i'r dysgwyr ddod â ffotograffau o'u plant i'r wers nesaf.

Uned 26

26.1 – Sut un yw e/hi?

Ceisiwch gael cyfle i gywiro ychydig ar y disgrifiadau gan y byddant yn sail i'r llyfr lloffion, 'Dyma fi' y bydd y rhieni a'r plant yn ei wneud gartref.

Uned 28

28.1 – ewch â llawer o wrthrychau bach neu luniau i'r dosbarth. Mae angen tua 16 gwrthrych neu lun i bob pâr.

28.2 – ewch â dol neu dedi neu lun i bob pâr.

Uned 29

Gofynnwch i'r dysgwyr ddod â ffotograffau ohonyn nhw eu hunain i'r wers nesaf.

Uned 30

Ewch â llyfrau plant i'r dosbarth eto.